Y ME PROPUSE EN MI CORAZÓN

Una guía práctica para limpiar el cuerpo y nutrir el alma.

NANCY E. CABRERA

El contenido de este libro es solo para instrucción general. La condición física, emocional y espiritual de cada persona es única. La instrucción en este libro no pretende reemplazar o interrumpir la relación del lector con un médico u otro profesional. Por favor, consulte a su médico para asuntos relacionados con su salud y dieta específica.

Para contactar al autor, visite nancyecabrera.com

ISBN: 978-0-578-54184-6

Impreso en los Estados Unidos de América.

RECONOCIMIENTOS

Este libro se lo dedico a Dios. Él es mi fuente de sabiduría, me ha sostenido en momentos de duda y desánimo. Él es Creador de todo lo bueno y ha sido mi Sanador.

A mis padres, hermanos y esposo, por su amor incondicional, por aceptarme tal como soy, por creer en mí, por ser mis maestros y modelos a seguir en diferentes áreas de la vida.

CONTENIDO

Y EN MEDIO DE MI CAOS... ME PROPUSE EN MI CORAZÓN BUSCAR UNA VIDA SANA Y FELIZ...

Era una tarde de agosto del 2009, estaba atravesando uno de los momentos más difíciles de mi vida. Había perdido mi trabajo, mi salud y mi primer matrimonio.

Me sentía sola, enferma, fracasada y deprimida. Tratando de esconder esa parte de mi historia que me causaba mucha vergüenza y preocupación. Era una sombra constante que entenebrecía mis días, nublaba mis sueños y esperanzas.

Crecí un una cultura que le importa demasiado el "qué dirán" al punto que aparentar, esconder o mentir es aceptable para evitar las críticas que puedan afectar mi reputación y la de mi familia.

Esa tarde, en medio de mi desierto emocional, decidí rendirme a Dios. Oré y lloré hasta que no me salían lágrimas. Le pedí a Dios que me sacara de esa cueva profunda y oscura en la que me encontraba y Dios en su gran amor y misericordia empezó a restaurar cada pieza de mi vida.

En el año 2010, Dios me llevó a trabajar en la sede mundial de la Iglesia Adventista como parte del equipo de Tesorería y ahí encontré refugio y una familia espiritual.

En el año 2013, Dios me dió el regalo más hermoso: mi esposo, el hombre espiritual, noble, inteligente y divertido que tanto soñé y por el que tanto oré, mi mejor mitad, mi mejor amigo, mi protector y mi todo.

Una tarde mientras estaba en la oficina, el reloj marcaba las 3:00pm, mis ojos se cerraban del cansancio, pasé por una de las oficinas que tenían chocolates... necesita energía, luego fui en busca de una coca cola, la necesitaba...

Luego fui al baño y me vi frente al espejo con 20 libras de sobrepeso, mi cara llena de acné, mis ojos con ojeras, hinchada, con reflujos horribles, cansada de la vida, estreñida, estresada y exhausta.

Decidí ir al doctor y después de hacerme muchos exámenes me dijo: "no tienes que preocuparte, tienes el mal colesterol alto y el buen colesterol bajo, tienes deficiencias de vitamina D, pero nada con tu estómago... para evitar esos reflujos, evita comer alimentos que producen gas como frijoles, brócoli y repollo".

Ese día salí frustrada *y me propuse en mi corazón que con la ayuda de Dios buscaría mi propia sanidad* y no escatimaría esfuerzos ni recursos porque anhelaba con todo mi ser sentirme bien.

Empecé a investigar y leer sobre personas que habían sufrido lo mismo que yo y encontré el testimonio de una chica que se había curado con una nutrición libre de productos derivados de animal. ¿Qué? Nada de queso, leche, huevos, crema, carnes, mantequilla, postres... ¿Pero qué voy a comer? Sin embargo, me llamó la atención que dijera: lo más hermoso es que esto *no es una dieta, es un estilo de vida* y los beneficios que puedes experimentar son:

- Limpiar los órganos de manera natural y segura
- Una piel clara y radiante
- Aumento de energía y vitalidad
- Claridad mental
- Encontrar mi peso ideal sin pastillas mágicas, contar calorías, medir porciones o aguantar hambre
- Dormir mejor
- Eliminar el estreñimiento, reflujos, e hinchazón.

Suena tan liberador, pensé. Ya he probado muchísimas dietas extremas, ayunos, pastillas que promocionan en la tele, suplementos, polvos, tratamientos que suprimen el apetito y programas de ejercicios en video que me dejaban extenuada. Así que dije- ya probé de todo, qué puedo perder con probar este estilo de alimentación. No tenía un plan específico que me guiara paso a paso, pero me propuse tomar acción y dar lo mejor de mí, un día a la vez.

En unos cuantos días empecé a sentirme tan bien en muchos aspectos de mi vida, tenía más energía que empecé a caminar en el parque, no me despertaba agotada y ya no sentía esa nube en mi cabeza y es que parecía que me había despertado de una pesadilla y la vida tenía nuevos colores.

Y dije- tengo que compartir esto con el mundo. Alguien debe estar pasando lo mismo que yo y necesita saberlo, pero me surgieron pensamientos negativos: no tienes credibilidad, no eres doctora, tu testimonio no es suficiente... *y me propuse en mi corazón estudiar Nutrición Holística* en uno de los institutos más reconocidos de New York para tener un conocimiento más amplio y científico de cómo la nutrición impacta el cuerpo, la mente y el espíritu.

Mi vida empezó a cambiar en todos los sentidos porque me ayudó a hacer tantas conexiones y a entender el maravilloso cuerpo que Dios creó.

A medida que mi cuerpo iba sanando, Dios despertó en mí el deseo profundo de escudriñar más la Biblia y los libros de profecía de la hermana Elena White, llevándome a confirmar lo que había aprendido acerca de la salud y lo más importante, a vivir una vida más cerca del corazón de Jesús.

Comencé a notar que mis sentidos estaban más alertas y empecé a escuchar a mi cuerpo y a conectarme de manera más auténtica y menos irritable con mis amigos y familiares. También me volví más sensible ante el sufrimiento y maltrato de los animales. Empecé a disfrutar más de la naturaleza y a tomar conciencia de cuidar el medio ambiente.

Al graduarme de ese curso, sentía que algo me hacía falta, tenía todas las diferentes teorías alimenticias, pero a la hora de cocinar me sentía un tanto perdida, además que no me atraía mucho la cocina y prefería comer afuera. Sin embargo, entendí que hay muchos detalles que no podemos controlar cuando alguien más cocinaba mis alimentos y aparte no era nada saludable ni para mi cuerpo y ni para mis finanzas. Deseaba comer sano y las opciones afuera no eran muchas.

Hasta que un día, mientras me ejercitaba en el gimnasio, escuché un sermón que tocó mi corazón-enfatizaba la importancia de preparar y servir alimentos simples, nutritivos y ricos para controlar lo que realmente entra en nuestro cuerpo y gozar de una salud óptima. Se enfatizó la triste realidad de que esa habilidad de cocinar se subestima en la actualidad, prefiriendo comer fuera de casa.

Esa misma semana, leyendo el libro Ministerio de Curación, pág. 233 encontré lo siguiente:

“Es un deber sagrado para las personas que cocinan aprender a preparar comidas sanas. Muchas almas se pierden como resultado de los alimentos mal preparados”.

“Las jóvenes piensan que cocinar y hacer otras tareas de la casa es trabajo servil; y por lo tanto, muchas que se casan y deben atender a una familia tienen muy poca idea de los deberes que incumben a la esposa y madre”.

“La ciencia culinaria no es una ciencia despreciable, sino una de las más importantes de la vida práctica. Es una ciencia que toda mujer debería aprender...

Preparar manjares apetitosos, sencillos y nutritivos, requiere habilidad; pero puede hacerse. Las cocineras deberían saber preparar manjares sencillos en forma saludable, y de tal manera que resulten sabrosos precisamente por su sencillez".

"Toda mujer que está a la cabeza de una familia, pero no entiende el arte de la sana cocina, debería resolverse a aprender algo de tanta importancia para el bienestar de los suyos".

Confirmé que Dios me estaba llamando a aprender una nueva habilidad.

Ese día *me propuse en mi corazón aprender a cocinar de manera saludable* y me inscribí en una escuela de cocina, escogí el curso especializado en la ciencia culinaria basada en plantas. ¿En qué me había metido? ¡Las primeras semanas eran una tortura! Desde aprender la teoría nutricional de la alimentación basada en plantas, cómo usar el cuchillo, hasta la preparación de cientos de recetas que debía cocinar todos los días y enviarlas para que fueran calificadas cada semana.

Fue un desafió que me sacó totalmente de mi zona de confort cocinando todos los días después del trabajo y durante los fines de semana, alguna veces llorando por algunas recetas fallidas, y otras veces feliz de mi obra de arte.

Lo gracioso fue que para mi examen final tenía que preparar un banquete que incluyera desde aperitivos hasta postres para 10 personas y la fecha de envío era justo para mi cumpleaños...qué manera de celebrar ¡jaja! pero valió la pena, al ver a toda mi familia disfrutando con gusto y admiración el fruto de mi esfuerzo y celebrando conmigo mi gran examen final y mi cumpleaños.

Dios me dió la fortaleza para graduarme con una nota muy buena. El apoyo de mi esposo fue invaluable, aparte que le fascinaba la parte de probar y describir diversos sabores (aunque algunas veces solo se quedaba con la ilusión, cuando me fallaban las recetas).

Desde entonces me siento más segura y mejor equipada para compartir mis conocimientos. Aunque hay días que lo he dudado mucho por el miedo a las críticas destructivas. Pero Dios está conmigo y me he propuesto rendir mis miedos y mi vida entera en Sus manos.

El efecto de estas decisiones en mi vida ha sido multiplicador. He visto cómo mi madre ha vencido la diabetes y el sobrepeso gozando de mucha salud, un sueño tranquilo y mucha energía para ir al gimnasio, cocinar y trabajar a su edad.

He tenido la oportunidad de ver cómo mi padre ha vencido una ceguera parcial, colitis, amigdalitis y alergias. He experimentado la dicha de ver la transformación de mi esposo, él pesaba 230 libras cuando lo conocí y gracias a Dios y a su constante esfuerzo hoy pesa 174 libras y ya no sufre de eczema, dolores estomacales ni de agotamiento. Mi esposo ahora es un hombre con mucha energía y goza de hacer múltiples deportes.

Una amiga muy querida fue diagnosticada con cáncer de seno y gracias a Dios y al maravilloso poder curativo de las plantas, hoy es una mujer sana y feliz.

Un buen día, me propuse en mi corazón desarrollarme cómo Coach para ayudar individualmente a mujeres dispuestas y listas a tomar control de su salud y mejorar su estilo de vida. Le pedí a Dios que me guiara para crear mis programas de 90 días, Un nuevo comienzo (para alcanzar un peso ideal) y Taste and See (Para adoptar un estilo de vida basado en plantas). ¡Acompañarlas en su transformación, es uno de los gozos más grandes y satisfactorios que he vivido!

Hoy puedo decir que esta linda jornada, que no es perfecta, continúa y me ha hecho crecer en muchas áreas de mi vida y lo mejor de todo: ¡tengo un propósito de vida! Reconozco que he sido salvada y sanada para servir y por eso me dedico a inspirar a mi comunidad Latina desde diferentes plataformas a adoptar un estilo de vida más saludable.

Compartir este mensaje en diversos congresos de damas, seminarios de salud, para inspirar una salud integral, me llena el alma, pero encontrarme con esas personas y escuchar sus testimonios de como les ha cambiado la vida mis temas es un sentimiento incomparable.

Al mismo tiempo, me duele ver miembros de mi familia sufriendo con enfermedades y otros que han muerto por falta de este conocimiento. Por ello, me he propuesto en mi corazón, contribuir con mi granito de arena con este libro para que este mensaje pueda entrar en más hogares y corazones.

Mi deseo es que si este libro puede inspirar a una persona a tomar control de su salud y acercarse más a Jesús, lo considero como una misión cumplida.

Es una guía basada en Daniel 1:8, 12, 18, 20: "Pero Daniel se propuso en su corazón no contaminarse con la ración de la comida del rey ni con el vino que éste bebía. Pidió, por tanto, al jefe de los funcionarios que no fuera obligado a contaminarse... Por favor, *prueba a tus siervos durante diez días*; que nos den de comer solo vegetales y de beber solo agua... Pasados los días, al fin de los cuales el rey había dicho que los trajeran, el jefe de los funcionarios los llevó a la presencia de Nabuconodosor... En todo asunto de sabiduría y entendimiento que el rey les consultó los encontró diez veces mejores que todos los magos y encantadores que había en todo su reino".

"Pero Daniel se propuso en su corazón no contaminarse con la ración de la comida del rey"

Dios me ha inspirado a escribir esta guía holística que te guiará paso a paso, un día a la vez. La primer parte es fundamental para después empezar la parte práctica de 10 días, la cual contiene recetas, hábitos y mucha inspiración.

Esta guía la he creado con mucho cariño y oración, porque es algo que deseé haber tenido para facilitar mi búsqueda y transición hacia una vida más sana y más feliz. Mi deseo es que tú puedas experimentar los maravillosos beneficios del poder curativo de las plantas para el cuerpo, la mente y el espíritu.

Leche
B12

PARTE I

FUNDAMENTOS

CAPÍTULO 1

ME PROPUSE APRENDER A COMER MEJOR

Una de mis luchas más grandes ha sido mantener un peso ideal. Probando cada dieta nueva que se promocionaba y nunca nada me funcionaba a largo plazo. La lucha era no solo física, porque aguantaba hambre y me sentía débil, sino también emocional al no ver resultados permanentes.

Hasta que en una de mis clases de nutrición, me impactó profundamente un estudio del Dr. Marion Nestle "La política en la comida" y el por qué el índice de obesidad aumenta cada vez más.

Uno de los factores predominantes fue que el consumo de calorías incrementó a 350 más de lo que se consumía en 1980. ¿Qué paso? ¿Cómo fue que las personas empezaron a comer más? Existen varios factores:

1. La desregulación en la industria de alimentos. Aumentaron los subsidios a las compañías de comida procesada, al mismo tiempo que el subsidio a los agricultores disminuyó; esto hizo incrementar el precio de las frutas y las verduras a un 40%. Por otro lado, los productos como las bebidas gaseosas, cerveza, mantequilla, aumentó de un 15% a 30%.
2. La desregulación en "Wall Street". Las corporaciones fueron presionadas a incrementar las ganancias de los inversionistas y su desafío era: "¿Cómo podemos hacer que la gente consuma más para que nosotros podamos incrementar nuestras ventas?
3. La desregulación en la comercialización de alimento. La comida rápida y procesada se volvió tan accesible que la gente empezó a comer más en restaurantes de comida rápida y empezó a cocinar menos en casa porque era más barato y conveniente.
4. Las porciones y medidas aumentaron "más porciones, más calorías". Aumentó las opciones de comida en todos lugares: en librerías, ferreterías, tiendas de ropa, y tiendas de muebles.

Te has preguntado por qué puedes comprar una hamburguesa con $1 y una ensalada por $5. Todo depende lo que el gobierno apoya con subsidios.

$ 0.99

$ 4.99

Bien pues, la accesibilidad de comida rápida a un bajo costo ha impulsado a que se cocine menos en casa y se coma más afuera, obvio es conveniente. Con esto quiero decir que nuestra lucha es contra todo una sistema que persuade a comer más de lo malo para que nos enfermemos. Está en tus manos poder tomar el control de tu propia salud y la de tu familia.

Lamentablemente, la comida procesada es una de las principales causas de inflamación y enfermedades crónicas. Los ingredientes de estas comidas son un veneno para el cuerpo y la mente.

Las 7 principales causas de muerte en los Estados Unidos son (y de muchos países latinoamericanos que copian la cultura estadounidense).

1. Enfermedades del corazón
2. Cáncer
3. Enfermedades respiratorias
4. Enfermedades cerebro-vasculares
5. Accidentes
6. Alzheimer
7. Diabetes

Estas enfermedades son prevenibles y reversibles. *Tu salud depende de ti y las decisiones diarias que tomes.*

Me gusta la analogía que usa el Dr. Mark Sandoval para explicar el por qué nos enfermamos. Describe que la clave para sanar una enfermedad es tratar la causa y compara la salud con un árbol de la siguiente forma:

El fruto y las hojas representan los síntomas (dolor, tos, fatiga, fiebre, debilidad etc.) Al remover los síntomas no arreglamos el problema.

Las ramas representan nuestras aciones (comer, beber, respirar). El tronco representa nuestras necesidades. Las cuales tenemos para sobrevivir y estas se determinan por leyes fijas, si no se cumplen pasamos de función a disfunción a dejar de funcionar (muerte). Ejemplo: Todos necesitamos oxigeno, agua, alimentos. No tenemos la opción de escoger si necesitamos o no estas cosas.

Que sostiene el tronco del árbol? Las raíces-éstas representan creencias. Lo que creemos es lo que determina lo que hacemos. Por ejemplo si tu crees que invertir tu tiempo en trabajar extra es mas importante que hacer ejercicio, no apartaras ese tiempo para ejercitarte. Si crees que necesitas tomar sodas en vez de agua, tomaras sodas y sufrirás las consecuencias.

En un árbol, explica el Dr. Mark, las raíces no son la causa del problema, este reside en la tierra. La tierra representa nuestros recursos. Entonces, la causa de un fruto malo es recursos malos. Si quieres arreglar el fruto y las hojas, tienes que tratar la tierra para tener un árbol saludable.

Similarmente, si tu y yo estamos enfermos debemos mirar nuestros recursos para encontrar el problema.

Una cosa es distinta entre un árbol y un humano adulto y funcional: Podemos escoger nuestros recursos. Esas elecciones están enraizadas en nuestra creencias.

Desde ahora, si vemos un fruto malo no lo arranques. Cava profundo para ver que esta pasando con las raíces y la tierra. Ahí encontraras la causa de la enfermedad.

Recuerda que si hay dolor y enfermedad son señales que el cuerpo nos envía que algo anda mal.

Por ejemplo, yo padecí de sinusitis crónica. La solución que me daban era operarme los adenoides cuando en realidad, era la inflamación que no me dejaba respirar bien, gripes y dolores de cabeza constantes. ¿Qué causaba la inflamación? La infección acumulada de años. Que me causaba esa infección? Los productos derivados de animal. Cuando

empecé a cambiar mi alimentación y mis hábitos, la infección salió de mi cuerpo y la inflamación se redujo y me sané totalmente sin necesidad de cirugía. Tengo años que no padezco ni de una gripe, ¡gracias a Dios!. Hay otro factor que impacta la salud y son los MSG's.

MSG'S

Vivimos en un ambiente que nos motiva a "comer más". ¿Por qué? Todo está diseñado y planeado para hacernos adictos a ciertas comidas, utilizando químicos como MSG's que se encuentran en las comidas procesadas.

A continuación comparto una breve reseña basada en estudios del Dr. Mecola acerca de esto:

- El glutamato monosódico (MSG, por sus siglas en inglés) es un potenciador de sabor que es añadido a miles de alimentos que usted y su familia comen regularmente. También es uno de los peores aditivos alimenticios del mercado.
- El MSG es una excitotoxina, lo que significa que sobreexcita sus células hasta el punto de dañarlas o matarlas, causando daño cerebral en diferentes grados e incluso podría desencadenar o empeorar trastornos del aprendizaje.
- Algunos efectos adversos comunes relacionados con el consumo regular de MSG, incluyen: obesidad, daño en los ojos, dolores de cabeza, fatiga, desorientación, depresión, taquicardia, sensación de hormigueo y entumecimiento.
- En los primeros estudios realizados se encontró que un 25 a un 30 porciento de la población estadounidense era intolerante a los niveles de MSG que se encuentran en los alimentos. En la actualidad, un estimado del 40 por ciento de la población podría verse afectada.
- En general, si un alimento es procesado, entonces se puede asumir que contiene MSG (o uno de sus pseudo-ingredientes). Llevar una alimentación a base de alimentos enteros y frescos es la mejor manera, sino la única, que le garantiza evitar esta toxina.

La industria de alimentos invierte millones de dólares para diseñar estrategias de mercadotecnia que nos inducen al consumo de comida chatarra y procesada. Observa los comerciales de televisión, mostrando la nueva hamburguesa de doble queso con doble carne y el siguiente comercial acerca de la nueva y milagrosa píldora para combatir el colesterol...

Es un círculo: comida chatarra accesible y barata para generar más consumo, adicción, obesidad, enfermedades crónicas, para después depender de las pastillas y cirugías y terminar nuestros días pagando recibos de hospital y siendo una carga para nuestras familias con enfermedades crónicas.

Es tiempo de tomar acción y de responsabilidad personal. La ayuda no vendrá de ningún gobierno o industria porque su único motivo es aumentar sus ganancias a costillas de nuestra salud.

ALERGIAS

Hay muchas personas padeciendo de diferentes alergias y me duele ver su sufrimiento. Las alergias son causadas cuando el sistema inmune reconoce incorrectamente algunas proteínas en los alimentos. Los síntomas más comunes son: hinchazón, dolores de estómago, vómito, acidez, reflujos, ronchas, acné, y eczema. Problemas respiratorios como sinusitis, amigdalitis, mucosidad, etc. y por eso comparto brevemente los 8 principales alérgenos alimentarios más comunes basado en un estudio de Healthline Nutrition:

1. La leche de vaca y sus derivados (leche en polvo, queso, margarina, mantequilla, yogur, crema, helados, etc).
2. Huevos
3. Nueces de árbol (almendras, macadamia, pistachos, piñones)
4. Maní
5. Mariscos (camarones, langosta, cangrejo de río, calamares, vieiras)
6. Trigo (el gluten)
7. Soya
8. Pescado

Si sospechas que tienes alergias, observa cómo te sientes después de ingerir tus alimentos y evita su consumo, consulta con tu médico para hacerte lo exámenes de sangre apropiados. Fortalecer el sistema inmune con alimentos altos en antioxidantes es clave para empezar a combatirlas.

AZUCAR: EL VENENO BLANCO

El consumo de azúcar es una de las mayores causas de obesidad y muchas enfermedades crónicas. Podemos encontrar azúcar agregada en productos inesperados desde una salsa de tomate marinera hasta mantequilla de maní porque es adictiva y nos hace comer demás. Algunas de las consecuencias del sobre-consumo de azúcar son:

- Aumento de peso
- Aumenta el riesgo de enfermedades del corazón
- Acné
- Aumenta el riesgo de cáncer y la diabetes
- Aumenta el riesgo de desarrollar depresión
- Acelera el proceso de envejecimiento de la piel
- Drena tu energía
- Conduce a tener un hígado graso
- Aumenta el riesgo de enfermedades en los riñones
- Impacta la salud dental
- Aumenta el riesgo de dolor en las articulaciones
- Acelera el deterioro de la memoria y se relaciona con el aumento de riesgo de demencia

Una alimentación integral basada en plantas ayuda a disminuir el consumo de azúcar refinada sin sentirnos restringidos ni cansados. Tengo que confesar que esta ha sido una de las adicciones más difíciles que he enfrentado y tengo mis días de debilidad, reconozco sus efectos pero a veces el estrés y las emociones toman control. Pero todos estamos en nuestro propio camino, imperfecto pero luchando por mejorar, un día a la vez.

MI INFANCIA

Recuerdo cuando tenía 8 años, me la pasaba todo el tiempo enferma de gripe, fiebre, tos, dolor de oídos y de garganta. Me daban diferentes pastillas y jarabes que solamente me hacían sentir bien por un tiempo y a los 15 días volvía a repetirse el ciclo.

Mis padres decidieron llevarme al otorrino y sus palabras fueron: "Nancy tiene sinusitis crónica, amigdalitis y sordera parcial. Lo más recomendable es operarla y extraer sus adenoides y amígdalas. Es una operación costosa y riesgosa por lo tanto hay posibilidades de que quede muda o sorda de por vida, usted elige". Mi mundo se vino abajo. Pude ver en el rostro de mi padre la angustia no solo por el diagnóstico y su riesgo, sino por el costo de la operación que en ese tiempo solo la hacían en el Hospital Rosales ubicado en la capital de mi país de origen, El Salvador.

Esa noche recuerdo ver a mis padres acostados en la hamaca preocupados platicando sobre qué hacer. Me fui a mi cuarto y me arrodillé a orar y le pedí al Señor que me ayudara a encontrar la solución. De repente llegó un tío a visitarnos (primo de mi padre) y le comentaron el caso. Mi tío sugirió: "No operen a la niña, porque no tratan antes con un Naturopata. Hagan una cita con el Dr.

Melendez y sino se mejora, la operan". Mis padres decidieron probar esta alternativa. Cuando pasamos la consulta, mi padre le comentó el diagnóstico del otorrino. El Doctor me revisó y dijo: "No hay necesidad de operación ni de remover los órganos. Dios creó los órganos con un propósito y el problema no son los órganos, sino la infección acumulada en los órganos y la clave es limpiarlos y desinflamarlos". ¡Esas fueron las mejores noticias que una niña tan enferma como yo, pudiera recibir!

Nos recetó una serie de infusiones de hierbas y una "dieta" estricta: "Nancy no puede comer: leche, queso, crema, mantequilla, cuajada, sorbetes, carnes, dulces, huevos, aceites ni nada que contenga ingredientes derivados de animal. ¡Me voy a morir! ¿Qué comeré entonces? Y el doctor dijo: "Arroz, frijoles, plátanos, papas, sopas de vegetales, frutas y cualquier alimento de origen vegetal, o sea lo que la tierra produce".

Mi padre me preparaba las infusiones todos los días al pie de la letra y se encargaba de todo mi tratamiento, mi madre me cocinaba las comidas de acuerdo al plan. Obviamente como niña, eso era un sufrimiento porque todo lo que me prohibió era lo que más me gustaba y lo que comía todos lo días, pero yo anhelaba sanarme *y me propuse en mi corazón obedecer* las instrucciones del tratamiento holístico.

Con altas y bajas, pasé casi dos años en tratamiento y por la misericordia y amor de Dios pude sanarme sin incurrir en ninguna operación. Puedo escuchar y hablar y por ello, a los 15 años, me propuse en mi corazón dedicar mi voz y mis talentos como una ofrenda de gratitud a Dios y ser un instrumento en sus manos para inspirar, enseñar y predicar del gran amor de Dios y los beneficios de un estilo de vida basada en las plantas.

Dios en su infinito amor transforma el sufrimiento en propósito para que su nombre sea glorificado y nuestra influencia pueda ministrar y bendecir a los que nos rodean. Siempre recuerda que tu historia no es solo tuya, sino la historia de Jesús, tu Creador y Salvador.

QUÉ ES LA NUTRICIÓN BASADA EN PLANTAS?

La nutrición basada en plantas consiste en alimentarnos con vegetales, frutas, nueces, semillas, cereales integrales, legumbres y granos; dejando a un lado todo lo que contenga o se derive de un animal como: carnes de toda clase, leche, huevos, queso, mantequilla, crema, yogur.

Es una nutrición enfocada en darle al cuerpo una gran variedad de nutrientes de alimentos que se cosechan de la tierra y prepararlos en forma de jugos, licuados, ensaladas, sopas, guisos, tacos, emparedados, pizza, hamburguesas, pastas, postres, helados y mucho más. El límite para este estilo de alimentación está en nuestra creatividad. El sabor no se sacrifica, al contrario, se goza de mayor diversidad de sabores y nutrientes. Mas allá de la nutrición, *es un estilo de vida integral que nos inspira a nutrir las células y el alma.*

Alguien dijo: "Pero si al final todos nos vamos a morir, hay que darle gusto al cuerpo". Si bien es cierto, hay que darle gusto pero con los elementos correctos y si, la muerte es inevitable pero la calidad de vida para gozar a plenitud de la familia, los amigos, los viajes, el trabajo sin ser carga de nadie ni depender de medicamentos es para mi suficiente razón para cuidarme hoy y todos los días de vida que Dios decida regalarme.

Hay cosas que están fuera de nuestro control porque vivimos en la gran controversia del bien y del mal y nos puede pasar como a Job que siendo un hombre justo y recto, fue tentado con enfermedades y situaciones dolorosas que no entendía pero fue fiel a Dios y su vida fue restaurada para la gloria de Dios y testimonio para la humanidad.

Estoy sumamente feliz de ser parte de esta generación que motiva a un estilo de vida más saludable y deseo con todo mi corazón que esta guía pueda ayudarte a experimentar los maravillosos beneficios de una nutrición limpia y natural.

La buena salud no es un destino, sino una jornada de toda la vida. Cada bocado alimenta esta jornada para vida o para muerte y tú tienes el gran privilegio de escoger cada día cuidar o destruir tu salud.

¿POR QUÉ COMER PLANTAS?

Cuando en mi vida hay un "¿Por qué?" he aprendido a buscar respuestas en la Biblia, en la Creación, en el Principio. En Génesis 1:29 dice: "Después dijo Dios: Mirad, os he dado toda planta que da semilla, que está sobre toda la tierra, así como todo árbol en que hay fruto y da semilla. De todo esto podréis comer".

Me encanta observar cómo Dios se posiciona como el Proveedor que se encarga de las necesidades alimenticias de los humanos y de los animales.

Luego en Daniel 1:8 encontramos: "Pero Daniel propuso en su corazón no contaminarse con la porción de la comida del rey ni con el vino que él bebía..." nos muestra cómo los hábitos alimenticios son una señal de fidelidad hacia nuestro Creador-quien desea nuestra salud. En Juan 1:2 lo confirma: "Amado, yo deseo que seas prosperado en todas las cosas y que tengas buena salud, así como prospera tu alma".

La palabra inspirada nos dice: "Para saber cuáles son los mejores comestibles tenemos que estudiar el plan original de Dios para la alimentación del hombre. El que creó al hombre y comprende sus necesidades indicó a Adán cuál era su alimento [...]. Los cereales, las frutas carnosas, las oleaginosas y las legumbres, constituyen el alimento escogido para nosotros por el Creador".—El Ministerio de Curación, 227, 228.

Seguir una alimentación "plant-based" no solamente puede ser equilibrada y suficiente para la salud, sino que puede ser una herramienta clave para la prevención y reducción de los síntomas en enfermedades tales como: cardiopatías, Alzheimer, cáncer, diabetes 1 y 2, hipertensión, colesterolemia, síndrome metabólico, fatiga crónica, entre otras.

Varias instituciones de reconocimiento internacional, como The Academy of Nutrition and Dietetics of USA (La Academia de Nutrición y Dietéticas de Estados Unidos) aseguran que este estilo de alimentación siempre que sea equilibrado, puede ser adoptado de forma saludable en cualquier etapa de la vida, incluyendo el embarazo, la lactancia y primeros años de vida.

La investigación actual en salud basada en plantas muestra que incluir más plantas en la dieta puede ayudar a combatir las enfermedades crónicas y prevenibles. Los beneficios de una alimentación basada en plantas son muchos, pero comparto los 10 beneficios más predominantes:

1. Ayuda a prevenir y revertir las enfermedades que son causas primordiales de muerte como la diabetes tipo 2, enfermedades cardíacas, enfermedades de los huesos, cáncer y depresión.

2. Ayuda a controlar la obesidad y mantener un peso saludable.

3. Elimina los problemas de la piel como acné o eczema.

4. Ayuda a combatir problemas digestivos como los reflujos, estreñimiento, hinchazón, gases, acidez estomacal y cándida entre otros.

5. Fortalece el sistema inmune, incrementando la vitalidad y energía corporal

6. Provee claridad mental y protege el cerebro a reducir el riesgo de desarrollar Alzheimer.

7. Ayuda a eliminar enfermedades respiratorias como la sinusitis, asma, amigdalitis, alergias.

8. Reduce la irritabilidad nerviosa y ayuda gozar de una paz constante.

9. Nos volvemos más empáticos y sensibles al sufrimiento de los animales y más conscientes del impacto de nuestras acciones en el medio ambiente.

10. Desarrollamos un deseo más profundo de estar más cerca de Dios, Su Palabra y la naturaleza.

La nutrición es un principio fundamental en el tratamiento de las enfermedades cardiovasculares. Las personas que consumen una dieta basada en plantas tienen niveles de colesterol más bajos, presión arterial reducida y menor peso corporal. Estos beneficios metabólicos, así como la mejora en la calidad de vida, deberían posicionar la dieta basada en plantas como un estándar en la atención cardiovascular óptima.

El Dr. David Huneycutt afirma: "[los] pacientes con enfermedad cardiovascular obtendrán un beneficio sustancial del consumo de una dieta basada en plantas, rica en vegetales, frutas, cereales integrales y legumbres. Dicha dieta es rica en nutrientes, contiene grandes cantidades de fibra, fitonutrientes, minerales y grasas saludables. Esta misma dieta rica en nutrientes ayudará a los pacientes diabéticos a reducir su necesidad de medicamentos y mejorar el control glucémico.

El Dr. Neal Barnard dijo: "[de] todos los contribuyentes a los genes de la diabetes, los antecedentes familiares, la falta de ejercicio, el más importante es la comida".

La diabetes tipo 2 (o diabetes mellitus dependiente de la insulina) es una enfermedad crónica que ocurre cuando el cuerpo ya sea que resiste los efectos de la insulina o no produce suficiente insulina para mantener los niveles normales de glucosa en la sangre.

Esta condición por lo general a menudo se relaciona con dietas altas en azúcares, grasas y aceites rancios y niveles bajos de fibra y fitonutrientes. Es importante que nuestro cuerpo mantenga un equilibrio adecuado de azúcar en la sangre, ya que la glucosa es su principal fuente de combustible. Sin niveles adecuados de azúcar en la sangre, esta afección puede ser potencialmente mortal. *Cuando tenemos la alimentación correcta, no se requiere de medicinas.*

ALIMENTOS QUE COMBATEN LA INFLAMACIÓN:

- Papaya
- Aguacate
- Arándano agrio
- Repollo rojo
- Semillas de cáñamo
- Arándanos
- Semillas de Chía
- Jengibre
- Nueces
- Cúrcuma
- Apio

ERES LO QUE COMES

Hay muchos factores que intervienen en nuestra salud: Historia familiar, medio ambiente, estilo de vida, dieta, etc. Una noticia alentadora es que al darle al cuerpo las mejores condiciones, el cuerpo fue creado por Dios para sanarse a sí mismo. Por ejemplo, observa cuando te hieres un dedo cortando una cebolla, empiezas a sangrar, te limpias, presionas y luego la herida se cierra y sana sin que tomes una pastilla para que lo haga. ¡Lo mismo sucede por dentro!

El Dr. Neal Barnard dice: "Los alimentos poderosos para prevenir y revertir las enfermedades son vegetales, frutas, granos integrales y legumbres". Así también hay alimentos poderosamente dañinos que afectan nuestro metabolismo, agregan unos cuanto kilos y endurecen nuestras arterias.

Todos deberíamos comer frutas y verduras como si nuestras vidas dependieran de ello... por que lo hacen"

- Michael Greger, M.D. FACLM

LA COMIDA ES INFORMACIÓN

Imagínate la comida como si fuera un guión-este instruye a los actores en nuestro cuerpo a cómo desempañarse. Cuando comemos, lo que realmente hacemos es enviar mensajes: Haz esto, no hagas esto, libera esta hormona, activa las células inmunes, expresa esta proteína, no actives aquella.

Cada molécula de comida contribuye a una cascada de eventos que mandan diferentes señales a través del cuerpo. Aún más asombroso es que nuestros pensamientos, emociones y ambiente puede afectar estos procesos.

La comida es información y también es comunicación. Mientras comemos, nuestros cuerpos perciben los nutrientes entrantes y envían señales a nuestro cerebro para que sepa lo que entra.

Cada elección de comida es una oportunidad para dirigir, moldear y restaurar nuestra salud, composición corporal, rendimiento, y nuestro bienestar.

La comida no solamente es ciencia. Sabemos que también compartir alimentos es un acto humano fundamental. Es parte de nuestra historia. Es lo que une a las familias en la mesa. Es nuestra cultura. Forma parte de nuestras celebraciones y momentos especiales. Es parte de nuestro legado como humanos.

La comida es información, es comunicación y es historia. Pero nosotros también tenemos nuestra propia historia acerca de la comida o con la comida. Por ejemplo mi historia pasada con la comida era: Soy una indisciplinada, no puedo parar de comer, con solo el olor me engordo. El lunes empiezo la dieta.

Mi historia actual con la comida es: Me encanta comer y probar diferentes platillos de diversas culturas y el comer basado en plantas me da la libertad de hacerlo sin culpas o preocupación por mi peso, calorías o ingredientes raros. La comida es mi gasolina, es mi medicina, la comida me nutre y me satisface. ¿Cuál es tu historia con la comida? Hoy puedes darle vuelta a la página y empezar a reescribirla.

FIBRA

Recuerdo cuando empecé a consumir más frutas y verduras, mi cuerpo no estaba acostumbrado a digerir la fibra o alimentos crudos, pero poco a poco y de manera consistente mi flora intestinal se fue adaptando y empecé a gozar de los increíbles beneficios de la fibra. Algunos beneficios que he experimentado son:

- Promueve la pérdida de peso
- Ayuda a controlar los niveles de azúcar en la sangre
- Ayuda a combatir el estreñimiento porque normaliza los movimientos intestinales.
- Reduce los niveles de colesterol
- Es un desintoxicante natural

Un estudio realizado recientemente en La Escuela de Salud Publica de Harvard encontró que las las personas que consumen alimentos ricos en fibra frecuentemente reducen el riesgo de muerte de cualquier causa comparado con aquellos que no la consumen. Por cada 10 gramos de fibra que consumimos podemos reducir el riesgo de cáncer de colon hasta un

10% y un 5% el cáncer de mama, de acuerdo a un estudio de Annals of Oncology. Comparto los top 10 alimentos ricos en fibra:

1. Arvejas 16g (1 taza)
2. Lentejas 15g (1 taza)
3. Aguacates 14g (1 taza)
4. Frijoles negros 14g (1 taza)
5. Alcachofas 10g 1 mediana
6. Linaza 8g (1 onza)
7. Coles de bruselas 8g (1 taza)
8. Frambuesas 8g (1 taza)
9. Moras 8g (1 taza)
10. Brócoli 5g (1taza)

Algunas frutas deliciosas y altas en fibra son: peras, fresas, manzanas, guineos, zanahorias, remolachas, avena, quinoa, almendras, chía, camote.

LAS CALORÍAS NO SON CREADAS IGUALES

Desde que entré a la adolescencia me obsesioné con las dietas y el ejercicio intenso. Debido a mi ignorancia cometí muchos errores que afectaron mi metabolismo y mi autoestima. Probaba cada dieta nueva que salía y bajaba rápidamente 10 libras, pero al terminar la dieta aumentaba el doble (el efecto rebote).

Una caloría es una caloría, dicen. Alegando que la fuente de esas calorías no importa. Hasta que entendí que las calorías no son creadas iguales.

"Quemar más calorías de las que consumes en un día, ha sido el consejo dietético en el pasado, pero eso no funciona para todos. En su lugar, nos deberíamos enfocar en comer alimentos enteros" dijo Celia Smoak de la Publicadora de Salud de Harvard.

¿Si consumes 100 calorías de brócoli o 100 calorías de un postre es lo mismo? No. Algunas comidas son una fuente ineficiente de energía y más importante aún es que los diferentes alimentos y macro nutrientes (carbohidratos, proteínas y grasas) tienen un efecto mayor en las hormonas y en la parte central del cerebro que se encarga de controlar el hambre y el comportamiento alimentario.

La comida que consumimos tiene un impacto sobre los procesos biológicos de cuándo, qué y cuánto comemos. Por ejemplo, es mas fácil consumir 500 calorías de un sorbete/helado que de brócoli, porque las calorías del sorbete son vacías (no tienen nutrientes) y el cuerpo manda la señal de consumir más porque no ha encontrado su índice de saciedad-es una medida de la capacidad de los alimentos para reducir el hambre, aumentar la sensación de saciedad y reducir la ingesta de calorías durante las próximas horas.

Si escoges comidas altas en el índice de saciedad, terminarás comiendo menos. Algunos ejemplos de alimentos altos en el índice de saciedad son las papas hervidas, frijoles y frutas. Los alimentos bajos incluyen donas y pasteles.

Lo interesante de esto es que la fuente de tus calorías afecta tus niveles de energía a largo plazo. Me acuerdo cuando comía un postre cargado de azúcar, sentía una gran felicidad y mucha energía pero al pasar unos minutos, sentía un gran bajonazo que me dejaba drenada mental y fisicamente, empujando a buscar mas azúcar o cafeína para seguir con mis actividades diarias. Al repetir este ciclo frecuentemente, me estaba afectando el sistema nervioso, hígado, piel, estómago, y el cerebro lo sentía nublado. Me sentía como cuando el tanque de gasolina del carro se percata de que tiene una pequeña reserva...

Diferentes fuentes de calorías tienen diferentes efectos sobre las hormonas, el apetito, la energía y el cerebro. Por eso me encanta enfatizar la idea que contar y restringir calorías no es tan importante como estar consciente de su fuente y su efecto en el cuerpo para un peso saludable y una salud óptima. Digamos sí a un estilo de vida y no a las dietas.

7 ESTRATEGIAS SIMPLES PARA TRANSICIONAR FÁCILMENTE A UN ESTILO DE VIDA A BASE DE PLANTAS:

1. Agrega en vez de quitar. Si te gustan los frijoles agrega más frijoles.

2. Una de las lecciones importantes que he aprendido en mi jornada es la importancia de tener una mentalidad optimista y positiva ante los cambios. Antes pensaba “todo lo que no puedo comer” y ahora digo “todo lo que escojo no comer”. En vez de enfocarme en lo que me falta, redirijo mi enfoque en la abundancia y variedad que tengo por explorar, aprender y agregar a mi vida ahora que mi plato ya no será tan aburrido como solo: arroz, carne y 2 lechugas con tomate.

3. Empieza por reducir tu consumo de carnes y comidas procesadas.

4. Un tiempo a la vez. Empieza haciendo un desayuno basado en plantas y a las dos semanas sigue con el almuerzo y así sucesivamente. Cada persona es distinta, si tu eres como yo que haces cambios radicales, también funciona. Yo me hice vegetariana de un día para otro en el 2010 y luego me hice vegana en el 2013 sin dudas ni arrepentimientos. Asegúrate de con-

sumir la proteína necesaria de acuerdo a tu actividad física, edad, género y necesidades.

5. Mantén tu pantry y refrigerador lleno de comidas saludables.

6. Usa tu creatividad y prepara platillos apetitosos.

7. En tu celular, descarga y usa la aplicación Cronometer para llevar un control de los nutrientes que consumes diariamente. Es fácil y se ajusta a tu bio-individualidad.

Si tú quien lees este libro, sientes que ya has probado de todo y deseas mejorar tu calidad de vida y gozar de una salud plena de manera natural, te invito a que le des una oportunidad al estilo de vida basado en plantas. *Recuerda que tú eres único y aprender a conocer tu cuerpo y tus necesidades es algo hermoso.* Tu bio-individualidad es un regalo divino y es por eso que tú eres el capitán de tu propia salud.

LOS PELIGROS DEL CONSUMO DE PRODUCTOS DE ORIGEN ANIMAL

El gran problema que encontramos en los productos de origen animal está en la sangre del animal. En su mayoría, al morir mueren con su sangre envenenada y los inyectan con hormonas y esa sangre la consume el humano junto con todas esas sustancias extrañas que causan inflamación celular y provocando que los órganos se vayan congestionando y debilitando hasta causar las diferentes enfermedades crónicas que conocemos en la actualidad. Realmente somos lo que comemos, lo que digerimos y absorbemos.

Los productos lácteos (leche, queso, crema, yogurt) generan mucosidad en el cuerpo, bloqueando las arterias, las articulaciones y acidifica la sangre. Nuestra meta es mantener el cuerpo más alcalino (menos ácido) para que sea resistente a las toxinas y nos proteja de diversas enfermedades. Mira lo que dice el libro Ministerio de Curación, 90:

En los tejidos del cerdo hormiguean los parásitos. Del cerdo dijo Dios: "Os será inmundo. De la carne de éstos no comeréis, ni tocaréis sus cuerpos muertos." Deuteronomio 14:8. Este mandato fue dado porque la carne del cerdo es impropia para servir de alimento. Los cerdos se alimentan de desperdicios, y sólo sirven para este fin. Nunca, en circunstancia alguna, debería ser consumida su carne por los seres humanos. Imposible es que la carne de cualquier criatura sea sana cuando la inmundicia es su elemento natural y se alimenta de desechos. MC 241.5

A menudo se llevan al mercado y se venden para servir de alimento animales que están ya tan enfermos que sus dueños temen guardarlos más tiempo. Algunos de los procedimientos seguidos para cebarlos ocasionan enfermedades. Encerrados sin luz y sin aire puro, respiran el ambiente de establos sucios, se engordan tal vez con cosas averiadas y su cuerpo entero resulta contaminado de inmundicias. MC 242.1

Muchas veces los animales son transportados a largas distancias y sometidos a grandes penalidades antes de llegar al mercado. Arrebatados de sus campos verdes, y salvando con trabajo muchos kilómetros de camino, sofocados por el calor y el polvo o amontonados en vagones sucios, calenturientos y exhaustos, muchas veces falta de alimento y de agua durante horas enteras, los pobres animales van arrastrados a la muerte para que con sus cadáveres se deleiten seres humanos. MC 242.2

En muchos puntos los peces se contaminan con las inmundicias de que se alimentan y llegan a ser causa de enfermedades. Tal es en especial el caso de los peces que tienen acceso a las aguas de albañal de las grandes ciudades. Los peces que se alimentan de lo que arrojan las alcantarillas pueden trasladarse a aguas distantes, y ser pescados donde el agua es pura y fresca. Al servir de alimento llevan la enfermedad y la muerte a quienes ni siquiera sospechan del peligro.

Adicción al Queso: “El queso es destinado a ser adictivo, además de contener grandes cantidades de grasa y sal, contiene casomorfinas, éstas se adhieren a los mismos receptores que las drogas adictivas y el cerebro libera dopamina, lo que genera una sensación de recompensa y placer. Este sistema funciona bien para que los terneros quieran tomar la leche, pero para los humanos solo ocasiona sobrepeso y problemas de salud.”

Dr Neil Bernard
Committee Physicians for
Responsible Medicine

Los males morales derivados del consumo de la carne no son menos patentes que los males físicos. La carne daña la salud; y todo lo que afecta al cuerpo ejerce también sobre la mente y el alma un efecto correspondiente. Pensemos en la crueldad hacia los animales que entraña la alimentación con carne, y en su efecto en quienes los matan y en los que son testigos del trato que reciben. ¡Cuánto contribuye a destruir la ternura con que deberíamos considerar a estos seres creados por Dios! MC 242.5

La inteligencia desplegada por muchos animales se aproxima tanto a la de los humanos que es un misterio. Los animales ven y oyen, aman, temen y padecen. Emplean sus órganos con mucha más fidelidad que muchos hombres. Manifiestan simpatía y ternura para con sus compañeros que padecen. Muchos animales demuestran tener por quienes los cuidan un cariño muy superior al que manifiestan no pocos humanos. Experimentan un apego tal para el hombre, que no desaparece sin gran dolor para ellos. MC 243.1

¿Qué hombre de corazón puede, después de haber cuidado animales domésticos, mirar en sus ojos llenos de confianza y afecto, luego entregarlos con gusto a la cuchilla del carnicero? ¿Cómo podrá devorar su carne como si fuese exquisito bocado?

Recuerdo cuando empecé a trabajar en la sede mundial de mi iglesia Adventista del Séptimo Día, localizada en Silver Spring, Maryland, U.S. Cierto día salimos a comer un grupo de compañeros y uno de ellos me inspiró cuando me dijo que él no comía carnes y me explicó los beneficios.

Ese día me propuse en mi corazón hacerme vegetariana (no comía carne, pollo ni pescado). Algunos días eran más difíciles que otros, especialmente cuando olía el pollo asado... pero me refugié en los lácteos y los huevos, empecé a engordar, me salió más acné, tenía el colesterol malo super elevado y recuerdo que los sábados por la noche cuando decidíamos salir a comer pizza o pupusas, llegaba a casa y me retorcía en el suelo del dolor, de estómago, me dolía tanto que sólo al vomitar sentía alivio. No quería hacerme bulímica y en mi búsqueda intensa por mejorar mi salud, en agosto del 2013 me propuse en mi corazón dejar los lácteos y los huevos y fue desde entonces que empecé a ver la vida con nuevos colores.

¡El queso fue lo más difícil! Soñaba a media noche con pizza y mis antojos eran insoportables, no entendía por qué era tanta mi debilidad hasta que en una de mis clases de nutrición, el Dr. Neal Barnald explicó que el queso es un producto alto en calorías y cargado de grasa, sodio y colesterol.

Los quesos típicos son 70% grasa y la clase de grasa que contienen son principalmente grasa saturada grasa ("mala"), la cual aumenta el riesgo de enfermedades cardíacas y diabetes. Ahora todo hacía sentido en mi cabeza, entendí el por qué agregar queso a todo, obvio *es sumamente* adictivo y te hace comer más.

Comprendí que debía tratar esto como una adicción y me propuse cambiar mi mentalidad y en vez de pensar en lo que no podía comer, me enfoqué en experimentar más con diversas frutas, verduras, semillas y legumbres-vencer un día a la vez. Cuando me daba ansiedad por comerlo, buscaba substitutos en tiendas o preparaba mi propio queso a base de semillas de marañón.

¿Sabías que hay un estudio del Instituto Nacional del Cáncer que dice: "Las mujeres que consumen una o más porciones de lácteos diariamente aumentan el riesgo de morir de cáncer de mama en un 64%?"

Vivimos en un mundo de pecado en donde la ambición y maldad del hombre lo ha llevado a manipular nuestra alimentación con el fin de generar más ganancias para sus industrias. Si no has tenido la oportunidad de ver los documentales "What The Health", "Forks Over Knives", Earthlings o Cowspiracy, te invito a que lo hagas y te darás cuenta a detalle de lo que menciono.

Algunos que han probado dejar la carne por unos días, se sienten débiles y piensan que es por la falta de proteína animal, pero la verdadera razón de la debilidad es esta: el cuerpo humano esta hecho para crear sus propias hormonas humanas. Cuando se consume carne animal, se recibe las hormonas de ese cuerpo muerto, entonces el cuerpo se acostumbra a recibir hormonas desde el exterior, haciéndose perezoso para producir sus propias hormonas. Cuando hay un cambio en la alimentación, el cuerpo pasa por un proceso de transición y al ver que ya no recibe hormonas exteriores, empieza de nuevo a producir sus propias hormonas, y es en este proceso en donde se experimenta la debilidad.

La buena noticia es que al resistir y sobrepasar la transición y la desintoxicación empezamos a notar un incremento de energía y mucha vitalidad. Es cuestión de paciencia, consistencia y fe.

Comer para vivir es nuestro lema de ahora en adelante. Permitamos que nuestra alimento sea nuestra medicina.

Me emociona saber cómo la hermana White, inspirada por Dios confirmó muchos años atrás lo que la ciencia ha descubierto recientemente:

Instrucciones concernientes a un cambio en la alimentación — Es un error suponer que la fuerza muscular dependa de consumir alimento animal, pues sin ello las necesidades del organismo pueden satisfacerse mejor y es posible gozar de salud más robusta. Los cereales, las frutas, las oleaginosas y las verduras contienen todas las propiedades nutritivas para producir buena sangre. Estos elementos no son provistos tan bien ni de un modo tan completo por el régimen de carne. Si la carne hubiera sido de uso indispensable para dar salud y fuerza, se la habría incluido en la alimentación indicada al hombre desde el principio. CN 360.2

A menudo, al dejar de consumir carne, se experimenta una sensación de debilidad y falta de vigor. Muchos insisten en que esto prueba que la carne es esencial; pero se la echa de menos porque es un alimento estimulante que enardece la sangre y excita los nervios. A algunos les es tan difícil dejar de comer carne como a los borrachos renunciar al trago; y sin embargo se beneficiarían con el cambio". Ministerio de Curación, 90.

ENTRENANDO EL PALADAR

Debido a que el paladar está expuesto constantemente a sabores altamente estimulantes, al empezar a comer diferente, se torna un tanto aburrido pero hay muchos productos veganos que tienen una consistencia y sabor parecidos a la carne, el queso y los huevos. Cuando estamos en transición son una buena opción porque deseamos con todas las fuerzas del alma un pedacito de queso o pollo... Yo pasé por esa etapa. Mientras re-educamos el paladar a los sabores simples y exquisitos de las frutas y vegetales, estos productos nos ayudarán a satisfacer el antojo sin caer en la tentación. Ningún producto procesado será mejor que lo natural, pero mientras nuestras papilas gustativas están limpiándose de los sabores sobre-estimulados y las texturas de la carne animal, son una buena opción, pero al pasar esa etapa, recomiendo consumirlos esporádicamente porque al final también son alimentos procesados y nuestro objetivo es comer lo más natural posible.

Es un proceso hermoso que vale la pena aunque toma tiempo y determinación. El cuerpo empezará a agradecerte de diversas formas y la calidad de tu vida irá mejorando poco a poco al punto que lo único que te vas a arrepentir es no haber empezado antes.

PROTEÍNA VEGETAL

Muchos hemos sido educados a ver la carne animal como "proteína", la buena noticia es que las plantas tienen proteínas y son proteínas completas porque contienen fibra, minerales y nutrientes exclusivos para el cuerpo humano. Observa la siguiente lista con los gramos de proteína que contiene cada alimento:

- Semilla de chía: 17g
- Semilla de cáñamo: 31g
- Linaza: 18g
- Semilla de calabaza: 19g
- Quinoa: 4g
- Nueces: 15.2g
- Almendras: 21g
- Maní:26g
- Espárragos: 2.2g
- Espinaca: 2.9g
- Brócoli: 2.8g
- Col rizada: 4.3g
- Espirulina: 57g
- Frijoles negros: 21g
- Frijoles rojos: 43g
- Papa horneada: 2.5g
- Camote: 1.6g
- Arroz integral: 2.6g
- Garbanzos: 19g
- Lentejas rojas: 9g
- Lentejas verdes: 9g

ALTERNATIVAS PARA SUSTITUIR LOS LÁCTEOS Y LOS HUEVOS

– Substitutos del queso: El queso se puede reemplazar con el queso de soya, arroz, almendra o levadura nutricional. Si dice "vegan" no contiene caseína ni suero.

– Crema: trata el Tofutti o usa aguacate.

– En vez del queso Ricota puedes usar tofu. O sino tienes acceso a ello, puedes buscar diversas versiones de recetas caseras a base de nuez de marañón.

– Substitutos del huevo:

- 1 Cucharada de linaza + 3 cucharadas de agua.
- 1 Cucharada de semilla de chia molida + 3 cucharadas de agua
- Nota: Mezcla las semillas y el agua y déjala reposar por 10-15 minutos.
- 1/4 Puré de manzana sin endulzar= 1 huevo
- 1/2 aguacate hecho puré= 1 huevo
- 1 banano hecho puré= 1 huevo
- 1/4 de yogur de coco o soja= 1 huevo

– Substitutos de leche:

- Lino
- Avena
- Coco
- Anarcardos
- Almendras
- Arveja/Chícharo
- Soya
- Macadamia
- Avellana
- Cáñamo
- Coyolito
- Arroz

10 ERRORES COMUNES QUE PODEMOS COMETER AL CAMBIAR A UNA ALIMENTACIÓN MÁS SALUDABLE

1. Consumir muchos sustitutos procesados de carnes y queso. Estos son comidas que juegan un papel importante cuando estamos en transición y el paladar se antoja de la textura y sabores específicos.

2. Pensar que por ser un producto vegano es sano. Si el producto está lleno de azúcar, aceites o químicos no es saludable.

3. Estancarse en comer lo mismo. El cuerpo necesita variedad de nutrientes, vitaminas y minerales para florecer.

4. No leer los ingredientes del producto. Cierto día encontré un queso que decía "Almendra" al frente, pero al darle vuelta a la bolsa y leer los ingredientes, contiene caseína que es el carcinógeno mas relevante jamas identificado y que activa las células cancerosas.

5. Obsesionarse con la proteína. Todas las plantas tienen proteína y al menos que sea un físicoculturista o tu propósito sea aumentar musculatura, no tienes por qué obsesionarte con el sobre consumo de proteína.

6. No consumir suficientes calorías. Los alimentos de origen vegetal son naturalmente bajos en caloría, por eso es importante comer suficiente de acuerdo a tu bio-individualidad.

7. No continuar educándote. Al tomar la decisión, necesitamos continuar creciendo y aprendiendo para mantenernos motivados.

8. Asumir que al hacerte vegano nunca más te volverás a enfermar ni a visitar a un doctor. Lo he experimentado, he pasado años sin enfermarme de una simple gripe y cuando me daba me sentía culpable pensando: "Qué va decir la gente". Somos humanos, frágiles viviendo en un ambiente lleno de maldad y pecado. Hagamos lo mejor que podamos. Es bueno hacerse un chequeo general cada año para asegurarnos que todo está bien.

9. Creer que se sacrifica el sabor y los antojos de postres. Después de haber sido esclava de dietas y restricciones, me encanta pregonar un estilo de vida libre y sano. Para disfrutar la vida, se requiere equilibrio, siempre dentro de los parámetros que Dios ha indicado. Existen muchas recetas disponibles de postres deliciosos y nutritivos.

10. Aislarte y no buscar apoyo. Aislarnos puede ser bueno si hay acoso, críticas y negatividad. Para triunfar es bueno rodearnos de amigos y familiares que entiendan y no juzguen negativamente nuestra decisión. Si es posible buscar pertenecer a un grupo que tenga tus mismos objetivos y con el cual puedan crecer juntos.

Volvamos al propósito de Dios— "Vez tras vez se me ha mostrado que Dios está llevando a su pueblo de regreso a su propósito original, esto es no subsistir de la carne de animales muertos. Él desea que le enseñemos a la gente un mejor camino[...] Si se elimina la carne, si el gusto no se educa en ese sentido, si se fomenta el deseo de frutas y cereales, pronto será como Dios lo dispuso en el principio. Su pueblo no consumirá carne".—Consejos sobre dietas y alimentos, 82.

Al adoptar un estilo de vida más saludable, no solo afectamos de una manera positiva nuestra salud sino también nuestro bienestar espiritual y al personalmente gozar de los beneficios de comer alimentos basados en plantas, entiendo la recomendación del Espíritu de Profecía en el siguiente párrafo:

"Entre los que esperan la venida del Señor, el comer carne finalmente se abandonará; la carne dejará de ser parte de su alimentación. Siempre debiéramos tener eso en vista y esforzarnos para trabajar constantemente hacia ese fin. No puedo pensar que al comer carne estemos en armonía con la luz que Dios quizo darnos.—Consejos sobre Dieta y Alimentos, 380, 381".

Con mucho amor y buena voluntad, deseo que Dios te inspire a considerar este tema. Dios te esta llamando y desea transformar tu salud y usarte como su instrumento para ser Su voz y dar testimonio de que Su Palabra es fiel y sus enseñanzas son para darte vida y en abundancia.

El efecto es multiplicador, familiares, amigos y hermanos de mi iglesia han decidido probar este estilo de vida, inspirados por mi ejemplo. *Tu cambio impactará las vidas de tu círculo de influencia y futura generación, es un precioso legado.*

"¿No es tiempo de que todos prescindan de consumir carne? ¿Cómo pueden seguir haciendo uso de un alimento cuyo efecto es tan pernicioso para el alma y el cuerpo los que se esfuerzan por llevar una vida pura, refinada y santa, para gozar de la compañía de los ángeles celestiales? ¿Cómo pueden quitar la vida a seres creados por Dios y consumir su carne con deleite? Mejor, regresen al alimento sano y delicioso que fue dado al hombre en el principio, y tengan ellos mismos y enseñen a sus hijos a tener misericordia de los seres irracionales que Dios creó y puso bajo nuestro dominio." MC,90

¿CÓMO MANTENER UNA ALIMENTACIÓN EQUILIBRADA?

Puede ser abrumador saber qué tipo de alimentos comer, qué combinar y cómo asegurarse de que el cuerpo está recibiendo lo suficiente de lo que necesita.

Muchos países tienen planes alimenticios únicos creados por gobiernos o autoridades de nutrición para ayudar a sus ciudadanos a asegurarse de obtener una nutrición adecuada para ellos y sus familias. Los planes de alimentos de cada país son un tanto diferentes, pero las pautas generales son generalmente las mismas, con énfasis en líquidos, frutas, verduras, granos (preferiblemente granos enteros cuando sea posible), así como fuentes de proteínas, grasas y calcio.

Uno de mis profesores favoritos en el mundo de la nutrición basada en plantas es el Dr. Michael Greger, autor del maravilloso libro Comer para no morir y creador de Nutrition facts.Org., creó una lista de doce elementos que debiéramos tomar en cuenta para mantener una nutrición equilibrada conocida como La Docena Diaria, la cual consiste de lo siguiente:

1) VEGETALES CRUCÍFEROS:

Como el brócoli, las coles de bruselas, repollo, coliflor, col rizada (kale), hojas mixtas, rábanos, hojas del nabo, berro, etc.

Una porción al día: Una porción es media taza de vegetales crucíferos picados o un cuarto de taza de brócoli o de coles de Bruselas.

Beneficios de los vegetales: podríamos conversar sobre los beneficios para siempre. Vitaminas, minerales, fibra, antioxidantes, lo que reduce el riesgo de desarrollar enfermedades crónicas, etc.

2) HOJAS VERDES:
Incluyendo hojas mixtas, col rizada, hojas de ensalada, acedera (sorrel), espinaca, acelga (swiss chard).

Dos porciones al día: Una porción es una taza cruda o media taza cocida.

3) OTROS VEGETALES:
Espárragos, remolacha, pimientos, zanahorias, maíz, calabacín, ajo, setas, quimbombó (okra), cebolla, calabaza, guisantes de azúcar (sugar snap peas), calabaza, batata mameya, tomates.

Dos porciones al día: Una porción es una taza de hojas verdes crudas; media taza

de vegetales que no sean de hoja crudos o cocidos; media taza de jugo de vegetales; un cuarto de taza de setas deshidratadas.

4) LEGUMINOSAS:
Frijoles negros, rojos, blancos, cannellini, guisantes de ojo negro (black-eyed peas), judías, soya, alubias, garbanzos, guisantes, judías, lentejas, miso, habichuelas pintas, guisantes partidos, tofú, hummus.

Tres porciones al día: Una porción es un cuarto de taza de hummus o dip de frijoles; media taza de frijoles cocidos, guisantes verdes partidos, lentejas o tofú; o una taza de guisantes frescos, o lentejas germinadas. Otras fuentes de proteína a base de plantas son el tempeh, seitan, edamame, garbanzos, arvejas y la mayoría de los reemplazos de carne vegetal.

Las legumbres son fuentes de proteína a base de plantas y fibra (tanto soluble como insoluble), y sus nutrientes aumenta su saciedad (lo que te mantiene lleno por más tiempo).

5) BAYAS (BERRIES):
Cualquier pequeña fruta comestible, incluidas las uvas, las pasas, moras, cerezas, frambuesas y fresas.

Una porción al día: Una porción es media taza fresca o congelada, o un cuarto de taza de frutillas secas.

6) OTRAS FRUTAS:
Manzanas, albaricoques, aguacates, guineos, melón cantalupo, dátiles, higos, pomelo, melón, kiwi, limones, limas, lichis, mangos, nectarinas, naranjas, papaya, parcha, melocotones, peras, piña, ciruelas, granadas, mandarinas, sandía.

Tres porciones al día: Una porción es una taza de fruta cortada en pedazos, o una fruta mediana, o un cuarto de taza de fruta seca. Se recomiendan todas y cada una de las frutas y verduras que son idealmente locales y de temporada, ¡y lo más importante que los disfrutes!

7) SEMILLAS DE LINO:
Una cucharada al día de linaza molida.

8) NUECES:
Un cuarto de taza al día, o dos cucharadas de mantequilla de maní, almendra u otra nuez. Las semillas y nueces son otra fuente de proteína y grasa saludable entre las que se incluyen semillas de cáñamo, semillas de girasol, semillas de calabaza, semillas de marañón, almendras, cacahuates y todas las formas de mantequilla de nueces y semillas.

9) ESPECIAS:
Un cuarto de cucharadita de cúrcuma, además de cualquier otra especia que te guste. Estas especias son reconocidas por sus beneficios anti-inflamatorios y desintoxicantes.

10) GRANOS ENTEROS (CEREALES):
Trigo sarraceno (buckwheat), arroz, quinua, cereales, pasta, pan integral, harina de avena, tortilla de trigo, pasta integral, cebada, mijo, teff, amaranto, alforfón.

Tres porciones al día: Una porción es media taza de arroz o pasta cocida; una taza de cereal; una lasca de pan; la mitad de un bagel.

Los granos enteros proporcionan una fuente maravillosa de energía sostenida (carbohidratos complejos) y fibra.

11) EJERCICIO:
Lo ideal es 90 minutos al día de actividad moderada, como caminar.

12) AGUA:
Cinco vasos grandes (12 oz / 340ml) al día.

SUPLEMENTOS

La tierra se ha desgastado y los nutrientes no so tan potentes como antes. También, por diferentes circunstancias de la vida, no siempre consumimos todos los nutrientes necesarios para una salud óptima cada día, es por eso que los usamos.

Gracias a Dios en cada examen anual nunca he salido deficiente de algún nutriente. Al comer más sanamente no significa que somos invencibles o que no necesitamos revisiones médicas. Al contrario, es necesario para mantener todo bajo control y motivarnos a seguir aprendiendo.

Vitamina B12: La vitamina B12 no es producida por animales o plantas sino de microbios que cubren la tierra. La vitamina B12 tiene muchas funciones. Ayuda a convertir los macro nutrientes (carbohidratos, grasas y proteínas) en energía. El cual es necesario para la síntesis de ADN, lo que significa que es una vitamina especialmente importante durante el crecimiento.

Se requiere para la producción de glóbulos rojos y también ayuda a mantener la capa protectora alrededor de los nervios llamada vaina de mielina.

Una dosis regular y de una fuente confiable de vitamina B12 es indispensable porque su deficiencia en el cuerpo conlleva resultados devastadores como parálisis, psicosis, ceguera, e inclusive la muerte. Para adultos menores de 65 es recomendable una dosis diaria de 250 mcg o una dosis semanal de 2,500 mcg. Para personas mayores de 65, el suplemento debería aumentar a 1,000 mcg diaria. La forma preferida de B12 es cianocobalamina.

Vitamina D: Conocida como la vitamina del sol. El cuerpo la produce cuando la piel se expone al sol, pero a veces por cuestiones del clima, trabajo u otras razones, no siempre es posible obtenerla. Revisa tus niveles con tu doctor a través de un examen de sangre.

¿Te sientes cansado, con dolores musculares? Al estar deficientes aumenta el riesgo de muerte de enfermedades cardiovasculares, asma, cáncer, deterioro cognitivo, debilidad, cambio del estado de ánimo, osteoporosis.

El suplemento es importante. Personalmente la consumo en época de invierno, cuando por el frío no puedo estar afuera por mucho tiempo. Tomo una diaria de 5,000mg. El Instituto de Ciencias de la Alimentación y la Agricultura informa nuevas recomendaciones basadas en unidades internacionales (UI) por día.

La UI no es la misma para cada tipo de vitamina. Una UI está determinada por la cantidad de sustancia que produce un efecto en su cuerpo. Las UI recomendadas para la vitamina D son:

- Niños y adolescentes: 600 UI
- Adultos hasta 70 años: 600 UI
- Adultos mayores de 70 años: 800 UI
- Mujeres embarazadas o lactantes: 600 UI

Otros suplementos que consumo y recomiendo con frecuencia son: zinc, yodo y magnesio.

EL MÉTODO DEL PLATO

Uno de los métodos que me encanta es el método del plato, porque es una herramienta maravillosa y efectiva que permite la visualización simple de cómo organizar grupos de alimentos. El método del plato simplifica el tamaño de las porciones y describe los grupos de alimentos generales para incluir en una comida nutricionalmente equilibrada. (Figura 1)

La pregunta que nos podemos hacer es: "¿Debo hacer un seguimiento de cuántas porciones de cada grupo de alimentos como todos los días?"

Y la respuesta simplemente es: no. Puede ser útil hacerlo durante unos días

Granos
Vegetales & Frutas
Proteina Vegetal
Calcio
Grasas
B12 + D

Figura 1

para ver qué áreas se pueden mejorar, pero en general la mayoría de las personas no cuentan las porciones totales de granos o verduras que consumen cada día. Entonces, ¿cuál es una forma más fácil de tratar de garantizar que sus comidas sean nutricionalmente completas?

Deseo enfatizar que esta información es solo una guía que te puede servir como base pero al final tú eres un ser bio-individual, por lo tanto, aprender a escuchar tu cuerpo es algo que te invito a practicar.

Debemos tomar en cuenta dónde vivimos y los alimentos disponibles en esa región como también tomar en cuenta el consumir la fruta y los vegetales de la temporada, porque estos tienen los nutrientes que el cuerpo necesita para esa estación del año. Cuando estamos en época de invierno y hace frío, es recomendable darle al cuerpo más alimentos cocidos como sopas, guisos y té de hierbas naturales para mantener el calor y proteger nuestra digestión.

ESENCIALES DEL CAPÍTULO

- Nuestra salud no depende de un gobierno. Hay toda una estrategia de mercadotecnia para hacernos consumir excesivamente y volvernos adictos a productos procesados.
- Es caro comer saludable, pero es más caro enfermarse.
- MSG's son químicos que agregan en comidas procesadas para generar adicción.
- Alimentos que causan alergias en tu cuerpo. Trata de fortalecer tu sistema inmune para lograr contrarrestarlas.
- Eres lo que comes por eso permite que tu comida sea tu medicina y tu medicina sea tu comida. El poder nutritivo y curativo de una alimentación basada en plantas podrá cambiar tu vida para siempre. Dios desea que volvamos a la dieta del Edén para que nos preparemos para Su segunda venida en cuerpo, mente y espíritu.
- Para mantener una nutrición equilibrada debemos tener en cuenta los doce elementos que nos sugiere el Dr. Gregger.
- Elige substitutos saludables y nutritivos para reemplazar los productos de origen animal y tu cuerpo será muy feliz. La clave está en limpiar el paladar y re-entrenar las papilas gustativas para desear y disfrutar los alimentos frescos y vivos.

CAPÍTULO 2

ME PROPUSE CUIDAR MI CEREBRO

LA NUTRICIÓN Y LA MENTE

Si alguien me hubiera dicho a los 8 años o a los 26 años que han sido las dos etapas más enfermas y difíciles de mi vida, que escribiría un libro sobre salud holística, no lo hubiera creído. Yo, la más enferma de mi familia, la hija mayor que heredó todos los males, la que padeció de todo lo que termina con "itis" (amigdalistis, sinusitis, apendicitis).

Pero Dios tiene un plan para tu vida a pesar de las enfermedades, limitaciones y dificultades. Dios desea cumplir su propósito en nuestras vidas y para eso desea renovar nuestra cuerpo, mente y espíritu. Dios no hace cosas a medias y nos lleva de la mano paso a paso; como dijo el apóstol Pablo: "De gloria en gloria". *El gran plan de Dios es restaurar nuestra mente para que seamos recipientes de su sabiduría e instrumentos de su amor para esta humanidad.*

Todo empieza con un simple paso: Qué decido diariamente meter en mi boca. La comida es información para tus células. Con cada bocado estamos cultivando sanidad o alimentando una enfermedad.

Desde pequeña he tenido una atracción por comprender más a profundidad cómo trabaja la mente, pero siempre lo estudiaba como un tema aislado a la nutrición. También deseaba comprender como podría tener una mente que se abocara más a lo espiritual, deseaba ser más espiritual, pero algo no conectaba, sino hasta que Dios en su infinita misericordia me guió a entender la conexión entre la nutrición, la mente, el carácter y la espiritualidad.

Al tomar mis clases de nutrición holística entendí la parte científica del asunto, pero lo que hizo la conexión de 360 grados fue este párrafo que encontré en el libro Mente, carácter y personalidad de Elena White:

"Los nervios del cerebro que relacionan todo el organismo entre sí, son el único medio por el cual el cielo puede comunicarse con el hombre, y afectan su vida más intima". Tener una mente clara para escuchar la voz de Dios y hacer su voluntad en mi vida es lo que deseaba.

Hablando del cerebro, la señora White agrega: "El cerebro es el órgano y el instrumento de la mente, y controla todo el cuerpo. Para que las demás partes del organismo estén sanas, el cerebro tiene que estar sano. Y para que el cerebro esté sano, la sangre debe ser pura. Si la sangre se mantiene pura mediante hábitos correctos relativos a la comida y la bebida, el cerebro recibirá una adecuada nutrición". Toda transformación comienza con una sangre limpia. ¡Amén! Eso me recuerda el gran sacrificio de Jesús en la cruz del Calvario en donde derramó su sangre pura para darnos vida eterna. ¡Sangre preciosa! Todo empezaba a tomar sentido en mi mente; mantener una sangre limpia con hábitos correctos es el secreto.

¿Qué alimentos nos ayudan a tener una sangre limpia y un cerebro sano? Las frutas, los cereales y las verduras preparadas en una forma sencilla, nutren el organismo y dan un poder de resistencia y vigor al intelecto.

Los nutrientes proveen los bloques de construcción biológicos para los neuro-transmisores- los químicos en el cerebro que afectan profundamente cómo pensamos y sentimos. ¡Esta idea me emociona! Quiere decir que Dios, nuestro Creador, se dió la tarea de crear e instruir a sus criaturas a comer alimentos que nos hacen más felices, más sabios, con mejor carácter porque él conoce cada uno de mis neuro-transmisores y su función en la mente y el cuerpo y desea que tu mente esté en su mejor condición para realizar tu propósito en esta vida, para tener las condiciones mentales más óptimas para servirle mejor y ser de bendición a otros.

Muchos estudios e investigaciones nos dicen que la dietas basadas en plantas están asociadas con estados mentales más saludables. Entre más frutas y vegetales comemos, somos más felices, menos deprimidos y experimentamos mayor satisfacción en nuestra vida. ¿Por qué frutas y vegetales? Porque están compuestos por antioxidantes, los cuales son químicos compuestos bio-activos producidos por las plantas para proteger la salud y combatir las enfermedades.

Un estudio realizado cinco veces en una población grande y diversa en un periodo de cinco años sobre el impacto de las frutas y vegetales en la mente, el estado de ánimo, la depresión, ansiedad y desórdenes mentales; los resultados fueron consistentes: el mayor consumo de frutas y vegetales estaba asociado positivamente con la depresión reducida, menos angustia psicológica, menos problemas de ansiedad y mal humor y una mejor percepción de salud mental.

En cambio, la gente que consumía menos de 8 porciones de frutas y vegetales al día, experimentaban un índice mayor de ansiedad depresión y estrés. Los órganos digestivos tienen una parte importante que realizar en nuestra felicidad. Dios nos ha dotado de inteligencia para que conozcamos la relación entre los alimentos y nuestro estado de ánimo.

Algo que se está volviendo muy común es el suicidio. Hay mucha depresión y ansiedad...

La depresión está relacionada con la inflamación en el cuerpo. El ácido araquidónico, encontrado solamente en productos de animal, es el precursor de la inflamación. Investigaciones demuestran que el consumo de este ácido promueve cambios en el cerebro que perturban el estado anímico.

Funciona de la siguiente forma. Al comer pollo, huevos, queso y otros productos de origen animal altos en acido araquidónico, se desencadena una serie de reacciones químicas provocando como resultado inflamación. Cuando la inflamación llega al cerebro produce sentimientos de ansiedad, desesperanza, estrés, depresión. No es sorpresa que la gente que evita la carne animal y sus derivados reportan un estado de ánimo más feliz y positivo.

En contraste, las plantas, naturalmente reducen la inflamación en el cuerpo por su contenido natural alto en antioxidantes, uno de los agentes anti-inflamatorios más poderosos de la naturaleza, protegiendo no solo nuestro estado de ánimo sino también protegiéndonos contra el Alzheimer y otras formas de demencia.

Todos los colores que las plantas traen a tu plato son evidencia de los nutrientes que tu cuerpo necesita para tener una mejor disposición, humor y funcionamiento mental.

¡Este conocimiento cambió mi vida! Ya no solo quería nutrirme mejor para gozar de una salud física, sino un propósito aún mayor: proteger intencionalmente mi cerebro para que el cielo se comunique conmigo, para poder discernir entre lo falso y lo verdadero, lo bueno y lo malo, poder llamar al pecado por su nombre, para estar atenta a las instrucciones de mi Creador y me transforme cada día para poder ser Su instrumento, Su voz, Sus manos hasta que Cristo vuelva en gloria.

El carácter es lo único que llevaremos al cielo y la Hna. White dice: “Un genio irritable, una mente confusa y nervios desquiciados, se cuentan entre los resultados de ese desprecio de las leyes naturales...al conocer la íntima relación que existe entre el comer y el beber, y la condición de la mente y el carácter no nos podemos dar el lujo de desarrollar un mal carácter como consecuencia de malos hábitos de vida. Las personas que tiene acidez estomacal tienen a menudo un temperamento agrio. Pareciera que todas las cosas están en su contra, y están inclinadas a ser malhumoradas e irritables. *Si queremos tener paz, debemos dar mayor consideración al pensamiento de tener un estómago sano".* MCP T1,29

Cultivar pensamientos puros, intenciones nobles, palabras inspiradoras y representar el carácter de Jesús es nuestro gran propósito y así nuestra vida sea de servicio a Dios a mi familia a mi prójimo a mi iglesia y a mi comunidad.

LOS DOS CEREBROS. EL IMPACTO DEL INTESTINO EN EL CEREBRO

El intestino es considerado el segundo cerebro y mide apróximadamente 5 pies de largo. El sistema nervioso central se comunica con el intestino gracias a nuestras ramas simpáticas y parasimpáticas que controlan nuestro corazón, nuestra digestión y respiración, y casi el 80-90% de las fibras nerviosas de nuestro sistema nervioso entérico van del intestino al cerebro.

Algunas personas llaman al segundo cerebro un «ecosistema» y personalmente creo que es un buen nombre en el sentido de que contiene esa vasta red neuronal y bacterias, y nuestro querido sistema nervioso se comunica con estas bacterias que están con nosotros desde el nacimiento. Son nuestros ayudantes, luchan contra los virus, mohos y ayudan a la digestión. Cuando no están contentos, lo sentimos en ese momento gracias a los neurotransmisores (mensajes de transferencia de neurona a neurona) del sistema nervioso entérico.

Una mente fuerte viene de un cuerpo fuerte. Nuestros dos cerebros 'hablan' entre sí, por lo que las terapias que ayudan a uno pueden ayudar al otro.

Tu segundo cerebro oculto en las paredes del sistema digestivo, este "cerebro en tu intestino" está revolucionando la comprensión de la medicina de los vínculos entre la digestión, el estado de ánimo, la salud e incluso la forma en que piensas.

Los científicos llaman a este pequeño cerebro el sistema nervioso entérico (SNE). Y no es tan poco. El SNE son dos capas delgadas de más de 100 millones de células nerviosas que recubren su tracto gastrointestinal desde el esófago hasta el recto.

¿QUÉ CONTROLA EL CEREBRO DE TU INTESTINO?

A diferencia del gran cerebro en su cráneo, el ENS no puede equilibrar su chequera ni redactar una nota de amor. "Su función principal es controlar la digestión, desde la deglución hasta la liberación de enzimas que descomponen los alimentos y el control del flujo sanguíneo que ayuda a la absorción de nutrientes a la eliminación", explica el Dr. Jay Pasricha, director del Johns Hopkins Center for Neurogastroenterology. La investigación sobre el sistema nervioso entérico ha atraído la atención internacional.

"El sistema nervioso entérico no parece capaz de pensarse como lo conocemos, pero se comunica de un lado a otro con nuestro gran cerebro, con resultados profundos".

El SNE puede desencadenar grandes cambios emocionales experimentados por personas que enfrentan el síndrome del intestino irritable (IBS) y problemas funcionales del intestino como estreñimiento, diarrea, distensión abdominal, dolor y malestar estomacal. "Durante décadas, los investigadores y los médicos pensaron que la ansiedad y la depresión contribuían a estos problemas. Pero nuestros estudios y otros demuestran que también puede ser al revés", dice Pasricha. Los investigadores están encontrando evidencia de que la irritación en el sistema gastrointestinal puede enviar señales al sistema nervioso central (SNC) que desencadenan cambios en el estado de ánimo.

"Estos nuevos hallazgos pueden explicar por qué un porcentaje más alto de lo normal de personas con SII y problemas funcionales del intestino desarrollan depresión y ansiedad", dice Pasricha. "Eso es importante, porque hasta un 30 a 40 por ciento de la población tiene problemas intestinales funcionales en algún momento".

Se ha pensado que la ansiedad y la depresión contribuyen a afecciones gastrointestinales como el síndrome del intestino irritable (SII). Un experto de Johns Hopkins explica cómo lo que está pasando en su intestino podría estar afectando su cerebro.

La investigación sugiere que la actividad del sistema digestivo también puede afectar la cognición (habilidades de pensamiento y memoria).

Personalmente lo he comprobado, cuando me alimento de manera inadecuada, mi estado de ánimo cambia y siento mi cerebro nublado. Es fascinante este tema, y siento que Dios nos está dando esta luz para mantener nuestro templo en óptimas condiciones para reflejar su carácter, su sabiduría, sus planes a esta humanidad que tanto lo necesita.

ESENCIALES DEL CAPÍTULO

- El cerebro y el intestino están conectados y se afectan mutuamente. Cada bocado que ingerimos es información para el cuerpo que lo sana o lo enferma.
- Para tener un cerebro y un cuerpo sano se requiere sangre limpia y esto se logra cultivando hábitos saludables.
- Los productos de origen animal producen inflamación y esto es la raíz de muchas enfermedades físicas y mentales.
- La salud de la mente depende en gran medida de lo que comemos. Estudios demuestran que un consumo alto de frutas y verduras ayudan a tener claridad mental y un buen estado de ánimo.
- Dios se comunica con nosotros a través de los nervios del cerebro. El deseo de las cosas espirituales se produce en una mente pura y dispuesta.

Todos los colores que las plantas traen a tu plato son evidencia de los nutrientes que tu cuerpo necesita para tener una mejor disposición, humor y funcionamiento mental.

CAPÍTULO 3

ME PROPUSE ORGANIZAR MI VIDA

ALIMENTOS PRIMARIOS VS. SECUNDARIOS

Recuerdo cuando le dije a mi esposo que quería estudiar nutrición holística para tener un conocimiento más profundo sobre el tema, pero nunca imaginé que el concepto de los alimentos primarios era una de las piezas que me faltaba por descubrir y que revolucionaría totalmente mi rutina diaria y que deseo compartir contigo.

La nutrición es una fuente secundaria de energía. Los alimentos primarios, o fuentes de alimento no alimentarias, son lo que realmente nos llena. Como niños, todos vivíamos de la comida primaria. Te acuerdas que estabas jugando con tus vecinos y tu mamá te llamaba para comer y tu le decías: "no tengo hambre todavía, mami". Después de comer seguías jugando y al final del día te acostabas a dormir satisfecho y exhausto sin pensar en comer.

¿Recuerdas haber estado tan enamorado que la vida tenía colores más brillantes y el gozo y el amor inundaba tu alma que la comida tomaba un segundo plano? ¿Has estado en algún proyecto que te apasiona y la emoción hace que a veces te olvides de comer?

Ahora piensa en algún momento en el que experimentabas baja autoestima o estabas deprimido y estabas hambriento de alimentos primarios y no importara cuánto comías nunca te sentías satisfecho.

Los alimentos primarios van más allá del plato, nutriéndonos en un nivel más profundo. Los cuatro principales alimentos primarios son: Carrera, relaciones, actividad física y espiritualidad.

Mientras más alimentos primarios nos damos, menos dependemos de los alimentos secundarios. Por el contrario, cuanto más nos llenamos con alimentos secundarios, menos espacio dejamos para los alimentos primarios, nuestra verdadera fuente de alimento.

Muchas religiones y culturas practican el ayuno para reducir los alimentos secundarios, abriendo canales para recibir una mayor cantidad de alimentos primarios.

Tómese un tiempo de calidad para explorar su equilibrio personal entre la comida primaria y la comida secundaria.

¿Qué área podría necesitar algo de atención en tu vida?

ANTOJOS

El reloj marcaba las 3:00p.m y los antojos tocaban mi puerta... quería algo dulce y refrescante, sabía dónde encontrar la soda y los chocolates. Terminaba de trabajar y se me antojaba una pizza.

Después de terminar de comer me sentía tan culpable por mi poca fuerza de voluntad y porque mi peso seguía aumentando. El cuerpo fue creado maravillosamente por Dios y cada una de las reacciones tiene un por qué. El cuerpo sabe cuándo dormir, cuándo despertar y mantiene por sí solo la temperatura a 98.6 grados. Tu corazón no pierde un solo latido. Tus pulmones siempre están respirando.

Siempre pensé en los antojos como debilidades hasta que aprendí que son mensajes importantes diseñados para ayudarme a mantener el equilibrio. Esto cambió mi perspectiva y empecé a observar mis comidas, en qué momento del día me antojaba de comidas específicas, mi comportamiento, mis carencias. Es ahí donde se esconden los antojos.

Por ejemplo, tuviste un día estresado en el trabajo y para variar estuviste en tráfico por una hora. Llegaste a casa con el deseo inmenso de atascarte de comida y sentarte en frente de la tele. Es bueno entender las razones más comunes que provocan los antojos para poder deconstruirlos y preguntar: ¿Qué quiere mi cuerpo y por qué?

- Carencia de nutrición primaria. ¿Te acuerdas sobre lo que aprendimos de los alimentos primarios? Cuando hay un desequilibrio debido a estar insatisfecho en una relación o se carece de una rutina apropiada de ejercicio físico, estar aburrido, estresado, o insatisfecho con el trabajo, o con un vacío espiritual. Esto puede generar un deseo de comer emocionalmente para entretener o distraer esa deficiencia.

- Agua. Cuando estamos deshidratados se puede manifestar como hambre. Es bueno tomar un vaso lleno de agua cuando sientas un antojo. El exceso de agua también puede provocar antojos, es bueno buscar el equilibrio. Cada cuerpo es diferente. Yo me guiaría por el color de la orina... cuando esta amarillo es señal de deshidratación.
- Nostalgia. En muchas ocasiones los antojos provienen de recuerdos de la infancia o alimentos que comían nuestros padres o abuelos o también por algo que hemos comido recientemente. A mí me pasa cuando llueve mucho, se me antoja comer arroz en leche o un atole de piña porque mi madre siempre que llovía nos lo preparaba. Es bueno preparar esas comidas en una versión más saludable.
- Las estaciones. Algunas veces el cuerpo pide alimentos que nos brindan equilibrio en diferentes estaciones del año. En el invierno se nos antojan las comidas calientes como sopas, guisos o comidas al vapor para proveer calor al cuerpo. Por el contrario, con el calor del verano, se nos antojan alimentos frescos y altos en agua como las frutas, vegetales crudos y helados. Y Dios que creó todo perfecto, hace crecer y producir esos alimentos necesarios para cada estación. También podemos asociar los antojos con las vacaciones o días feriados. Por ejemplo, se nos antoja pan, tamales y dulces para la navidad.
- Falta de nutrientes. Los antojos extraños se producen si el cuerpo carece de nutrientes adecuados. Por ejemplo, cuando hay falta de minerales se nos antoja lo salado. Si nos falta nutrientes también se nos antojan fuentes de energía no saludables como la cafeína.
- Hormonas. ¿Te ha pasado que en esos días del mes o durante el embarazo o menopausia podemos experimentar antojos únicos? Esto ocurre debido a que los niveles de testosterona y estrógeno fluctúan durante ese periodo.
- Auto-sabotaje. Cuando estamos haciendo las cosas bien, comemos sano por un buen tiempo, se nos antojan alimentos que nos causan desequilibrio, especialmente durante dietas restrictivas. Esto sucede a menudo a causa de bajos niveles de azúcar en la sangre.

Al entender el mensaje que el cuerpo te está enviando a través de los antojos, empezarás a notar si hay deficiencias, carencias, o algún desequilibro. Esto nos lleva al siguiente punto.

HAMBRE FÍSICA VS. HAMBRE EMOCIONAL

Comer es lo más delicioso que existe, especialmente cuando tenemos hambre. Hay muchas ocasiones en las que comemos por emociones y es bueno identificar la diferencia entre el hambre física y emocional para tomar mejores decisiones a la hora de comer. Ejemplo:

Cuando sales del trabajo o la escuela después de un día estrado, se te antoja comer una pizza con ingredientes específicos y luego un postre de chocolate con caramelo... probablemente es hambre emocional y hay algo que debemos trabajar interiormente para traer equilibrio y darle al cuerpo lo que necesita, posiblemente en este caso sea: relajación, una caminata tranquila en el parque o descanso. Y si el sentimiento es muy frecuente, probablemente es momento de analizar tus opciones laborales.

Voy a ser vulnerable, desde pequeña he sufrido mucho: maltrato físico y mental, casi me quedo muda y sorda debido a una enfermedad crónica, el acoso de mis compañeras, el cambio de país, trabajos duros, víctima de gente adicta y viciosa, me he quedado desempleada al punto de no tener que comer, he sufrido abandono y soledad, la angustia de ser indocumentada, traiciones, y otras cosas que pasé por elecciones equivocadas y que no deseo recordar...

En medio de todo, lamentablemente, la comida se convirtió en mi droga y mi escape. Si estaba feliz comía, si estaba triste comía...y ha sido una larga jornada en la que todavía algunos días me encuentro sumergida. Dios es paciente.

Usamos la comida para entretener emociones, para anestesiar pensamientos, para suprimir sentimientos, para adormecer sufrimientos, pero es temporal...Al terminar el último bocado, cuando la gente se va y te quedas sola con tu almohada, no solo vuelve a resurgir eso que tratas de suprimir, sino que también a eso se le agrega la culpa y el remordimiento por las calorías extra que comiste y porque te sientes incapaz de tomar control de tu peso, tu salud y tu vida.

Si estas pasando por esto, recuerda que si un antojo no proviene del hambre, nunca se estará satisfecho con la comida. La verdadera paz solo proviene de buscar la presencia de Dios y con los ojos de la fe, estar cerquita de su corazón. Yo le digo: Padre arrúllame, soy tan frágil. El Padre con sus tiernos brazos, me llena de calma y esperanza.

HAMBRE FÍSICA:
Se siente en el estómago, aparece de manera gradual, no depende de nuestras emociones, es saciada después de comer, se disfruta la comida y genera sentimientos de satisfacción y tranquilidad.

HAMBRE EMOCIONAL:
Se siente en la boca, aparece súbitamente, depende de nuestras emociones, va acompañada de sentimientos negativos, no es saciada al comer, genera sentimiento de culpa y/o vergüenza.

Dios es paciente. La sed por salir adelante y luchar por darle un mejor futuro a mi familia me ha motivado. Dios se ha manifestado y me ha consentido tanto. Me aferro a esta promesa: "Unicamente un día a la vez, piensa en esto. Este día es mío. En este día daré lo mejor de mí. Cada día dedica tu vida, tu alma, tu cuerpo y espíritu a Dios". 1MCP,29

Poco a poco, Dios a través de Su palabra, ha ido sanando mis emociones y mi mente y también lo puede hacer contigo.

Cuando sientas la tentación de ir al refrigerador y comerte todo el helado o una pizza entera o la bolsa de chips, detente, respira y toma conciencia de qué es lo que te está provocando eso, eleva una oración a Dios y luego, ve a caminar, o a leer, o llama a tu amiga. Si no tienes hambre aunque sea de una manzana, esto no llegará a satisfacer tu hambre emocional.

Comparto este hermoso párrafo del libro El Camino a Cristo,85: " Cada cosa, grande o pequeña, debe dejarse en las manos de Dios, quien no se confunde por la multiplicidad de los cuidados, ni se abruma por su peso. Si creyéramos esto, gozaríamos entonces del reposo del alma al cual muchos han sido extraños por largo tiempo".

Con fe, deposita hoy tus cargas, tus traumas, tu ansiedad, tus dilemas, planes y sueños a Dios, él te dará de esa paz que sobrepasa todo entendimiento y te indicará el mejor camino que debes seguir.

ESENCIALES DEL CAPÍTULO

- Los alimentos primarios son aquellos que nutren el alma, la vida y se encuentran fuera de un plato. Los principales son: relaciones, profesión, espiritualidad y actividad física. Los alimentos secundarios son los alimentos que encontramos en nuestro plato.
- Buscar constantemente un equilibrio en las diversas áreas de la vida nos empodera a prestar atención y priorizar lo que realmente es importante para sentirnos satisfechos.
- Los antojos no son malos, son mensajes que el cuerpo envía para estar atentos, aprender a conocer nuestro cuerpo y mantener un equilibrio en nuestra vida.

¿En qué momento del día te dan deseos de comer emocionalmente? ¿Qué comes?

____

____

____

____

____

¿Qué actividad puedes realizar en esos momentos?

____

____

____

____

____

Tómese un tiempo de calidad para explorar su equilibrio personal entre la comida primaria y la comida secundaria.

CAPÍTULO 4

ME PROPUSE CULTIVAR BUENOS HÁBITOS

HIDRATACIÓN

Nuestro cuerpo está compuesto mayormente de agua y mantenernos hidratados es clave para una buena salud.

El hábito de tomar un vaso grande con agua a temperatura de tiempo en ayuna por la mañana fue uno de los primeros pasos que cambió mi salud y si le agregas el jugo de un limón es aún mejor para limpiar el cuerpo. Hago variedad y de vez en cuando cambio el limón por la cúrcuma que es anti-inflamatoria.

En mi trabajo mantengo una botella grande que es mi medida de agua que debo consumir durante el día. Es bueno ser intencional y hacer de esto un hábito diario. Notarás cambios positivos como:

- Regularidad para ir al baño por la mañana
- Piel saludable
- Aumento de energía
- Fortalecimiento del sistema inmune
- Claridad mental
- Un peso saludable
- Prevenir dolor de cabeza
- Prevenir dolor de las arterias

Al consumir más agua automáticamente le dejamos menos espacio a otras bebidas azucaradas o llenas de cafeína y otras bebidas adictivas que no contribuyen a la buena salud.

Si te cuesta tomar agua simple, empieza por hacer infusiones con pepino, menta, moras, etc.

MOVIMIENTO Y DIVERSIÓN

Jugar y movernos era tan natural cuando éramos niños pero ya de adultos nos tomamos la vida muy en serio y nos olvidamos de disfrutar los momentos simples de la vida.

Recuerdo cuando empezó mi búsqueda por una mejor salud y alcanzar mi peso ideal, una de las cosas que menos quería practicar era mover el cuerpo. Hasta que decidí cambiar la manera cómo lo veía y empecé a experimentar los maravillosos beneficios.

Una de las razones por las que no nos movemos es porque no tenemos energía y es por eso que la buena nutrición es indispensable. Me gusta una frase que leí en el internet acerca del ejercicio físico:

"El ejercicio es la celebración de lo que mi cuerpo puede hacer, no un castigo por lo que he comido".

¿Te imaginas cuántas personas con necesidades especiales quisieran tener la posibilidad de moverse normalmente? Los beneficios de jugar y mover el cuerpo son increíbles y puede mejorar cada aspecto de tu salud desde adentro hacia afuera.

Los 7 beneficios más comunes son:

1. Te hace sentir más feliz. El ejercicio ha demostrado que mejora tu estado de ánimo y disminuye sentimientos de depresión, ansiedad y estrés.

2. Ayuda a bajar de peso porque mejora el metabolismo y a quemar calorías.

3. Huesos fuertes. Con ejercicio mantenemos la masa muscular y fortalecemos los huesos, ayudando a prevenir osteoporosis.

4. Aumenta los niveles de energía. Si sufres de fatiga o falta de energía, el ejercicio es una terapia, especialmente si agregas métodos de estiramiento y relajación. Incluso, estudios han mostrado aumento de energía en personas con enfermedades progresivas como el cáncer.

5. Reduce el riesgo de enfermedades crónicas como diabetes tipo 2, enfermedades del corazón, cardiovasculares y ayuda a disminuir los niveles de grasa y presión arterial.

6. Protege tu memoria y mejora la función del cerebro. El ejercicio promueve la circulación de sangre y oxígeno a tu cerebro y estimula la producción de hormonas que mejora el crecimiento de las células del cerebro.

7. Promueve relajación y mejorar la calidad de tu sueño.

DORMIR BIEN

Cuando decidí empezar una nueva carrera universitaria en los Estados Unidos, no tenía otra opción que trabajar de tiempo completo durante el día y estudiar por las noches. Durante los 5 años de estudio me acostaba alrededor de las 12:30-2:00 am. y debía estar en mi trabajo a las 7:00am el siguiente día. A pesar que trataba de comer sanamente y hacer ejercicio de vez en cuando, seguía aumentando de peso. ¡Qué desesperación!

¿Te has sentido así? ¿Sientes que tus esfuerzos no logran mayores resultados para alcanzar o mantener tu peso ideal?

Mi lucha fue intensa hasta que aprendí acerca del funcionamiento interno del cuerpo y descubrí que cuando duermes, el cuerpo regenera los órganos a horas especificas durante la noche.

- 9pm-11pm: Restaura el sistema hormonal (tiroides, suprarrenales, hipotálamo)
- 11pm-1am: Restaura la vesícula biliar y el corazón.
- 1am-3am: Desintoxica el hígado
- 3am-5am: Desintoxica los pulmones
- 5am-7am: Desintoxica el intestino grueso
- ¿Y el cerebro? El cerebro se desintoxica de 10pm-2am.

Si te acuestas muy tarde y privas a tu cuerpo de dormir, tu cuerpo sufrirá de algunas consecuencias: los órganos pierden su oportunidad de restaurase, incrementa el apetito, altera el sistema nervioso, aumenta la fatiga, reduce la energía; provocando que comamos más, ejercitemos menos debido al cansancio, y nos hace dependientes de bebidas estimulantes y comidas azucaradas.

¿No puedes dormir toda la noche? ¿Te sientes agotado o "consumiendo las hormonas del estrés" todo el día? No temas, tengo algunos consejos geniales para ti. La ciencia del sueño es fascinante, complicada y progresiva.

Dormir es lo que todos hacemos a diario y, sin embargo, recién estamos empezando a comprender todas las formas en que nos ayuda a nosotros y todos los factores que pueden afectarlo.

La falta de sueño afecta casi todo en tu cuerpo y mente. Las personas que duermen menos tienden a estar en mayor riesgo de tantos problemas de salud como diabetes, enfermedades del corazón y ciertos tipos de cáncer; sin mencionar los efectos como un metabolismo más lento, aumento de peso, desequilibrio hormonal e inflamación. Y no olvidemos el impacto que la falta de sueño puede tener en los estados de ánimo, la memoria y las habilidades para tomar decisiones.

¿Sabías que la falta de sueño puede incluso anular los beneficios de tu programa de ejercicios? ¿Qué aspecto de la salud no afecta el sueño? Sabiendo esto, es fácil ver los 3 propósitos principales del sueño:

- Para restaurar nuestro cuerpo y mente. Nuestros cuerpos reparan, crecen e incluso "desintoxican" nuestro cerebro mientras dormimos.

- Para mejorar la capacidad de nuestro cerebro para aprender y recordar cosas, técnicamente conocido como "plasticidad sináptica".
- Para ahorrar energía, así no solo estamos activamente "fuera de casa" las 24 horas del día, todos los días.

¿Sabes cuánto sueño necesitan los adultos? Es menos de lo que necesitan sus hijos en crecimiento, pero puede sorprenderse de que se recomiende que todos los adultos tengan entre 7 y 9 horas por noche. ¡De verdad! ¡Trata de no escatimarlo! (No se preocupe, le comparto algunos consejos prácticos a continua-ción).

CONSEJOS PARA DORMIR MEJOR

El consejo más importante es definitivamente *tratar de obtener un horario de sueño constante.* Conviértalo en una prioridad y es más probable que lo logre. Esto significa apagar las luces 8 horas antes de que suene la alarma los siete días de la semana. Sé que los fines de semana pueden descartar esto fácilmente, pero al hacer del sueño una prioridad durante algunas semanas, su cuerpo y mente se ajustarán y se lo agradecerán.

- Balanciar el nivel de azúcar en la sangre durante el día. Ya sabes, comer menos alimentos refinados y procesados más alimentos integrales (llenos de fibra que equilibra el azúcar en la sangre). Elige la naranja entera en lugar del jugo (o refrigerio con sabor a naranja). Asegúrese de obtener algo de proteína cada vez que coma.
- Durante el día, tome sol y haga ejercicio. Estas cosas le dicen a su cuerpo que es de día; tiempo para ser productivo, activo y alerta. Al hacer esto durante el día, lo ayudará a relajarse más fácilmente por la noche.
- Interrumpa el consumo de cafeína (eliminarla es lo mejor) y azúcar después de las 12:00pm. Alimentos enteros como frutas y verduras están bien, es el azúcar "agregado" que estamos minimizando. Sí, esto incluye su amado te de chai latte. Tanto la cafeína como el azúcar agregado pueden mantener su mente sobre estimulada más de lo que quiere que sea por la noche.
- Tenga una rutina relajante a la hora de acostarse, que comienza 1 hora antes de dormir. Esto incluiría apagar la tv, el celular y cualquier tipo de pantalla para que la producción de melatonina (la hormona del sueño) no se detenga con luces artificiales.
- Leer un libro real (no electrónico) darse un baño y tomarse un té. El objetivo es crear en el cerebro la rutina para que sepa que es hora de dormir.

Entonces, ¿cuántos de estos consejos puede comenzar a implementar hoy?

BONO: Agregar té de hierbas y magnesio a la rutina de la noche ayuda a relajar el sistema nervioso y provee una sensación de calma. Algunas de mis opciones favoritas son:

1. Té de manzanilla
2. Té de valeriana
3. Té de lavanda
4. Té de tilo
5. Magnesio Ionic liquido

Entrena a tu cuerpo y mente a acostarse no más tardar de las 9:30 pm. Cultivar este hábito consistentemente te llenará de gozo, energía y buena salud.

Jesús dice: " Venid a mí todos los que estén cansados y cargados que yo los haré descansar". (Mateo 11:28). Él es el que da paz al alma y descanso al cuerpo. Su tarea es solo cultivar el hábito de acostarse temprano.

MANEJANDO EL ESTRÉS

Hay toda una explicación científica en cuanto al estrés pero si eres como yo, a mí me gusta el conocimiento práctico y lo del estrés funciona así:

La glándula suprarrenal produce la hormona Cortisol, conocida mayomente por su rol ante el estrés. El cortisol prepara al cuerpo para reaccionar rápidamente en momentos de temor para pelear o huir con lo que está en su camino.

Lo interesante es que en el cuerpo no hace diferencia entre si está estresado por el tráfico o porque alguien te persigue para hacerte daño y la producción constante de cortisol afecta otros órganos del cuerpo. (Figura 2)

Manejar el estrés de manera adecuada es clave para mantener una buena salud. ¿Cómo manejar el estrés saludablemente?

1. Respirar. Identificar la causa (Qué, cuándo, quién)
2. Mover el cuerpo
3. Comer saludable
4. Dormir suficiente
5. Evitar bebidas estimulantes (café, bebidas energizantes, suplementos para suprimir el apetito)
6. Respirar profundo y prolongado.
7. Confiar en Dios.

Cerebro y nervios:

Dolor de cabeza, sentimiento de desesperación, falta de energía, tristeza, nerviosismo, enojo, irritabilidad, problemas de concentración, problemas de memoria, dificultad para dormir, problema de salud mental (ansiedad, ataques de pánico, depresión, etc).

Corazón:

Pulso más rápido y palpitaciones, presión alta, mayor riesgo de colesterol alto y ataque al corazón.

Estómago:

Nauseas, dolor de estómago, acidez, aumento de peso, menos apetito.

Páncreas:

Aumento de riesgo de diabetes.

Intestinos:

Diarrea, estreñimiento y otros problemas digestivos.

Órganos reproductivos:

Para mujeres, irregularidad o dolor en la menstruación, menos deseo sexual. Para hombres, impotencia, menos producción de espermas, menos deseo sexual.

Otros:

Acné y otros problemas de piel, dolor y tensión muscular, mayor riesgo de baja densidad ósea y un sistema inmunológico debilitado. (más difícil recuperarse de una enfermedad)

EFECTOS DEL ESTRÉS EN LOS ÓRGANOS DEL CUERPO

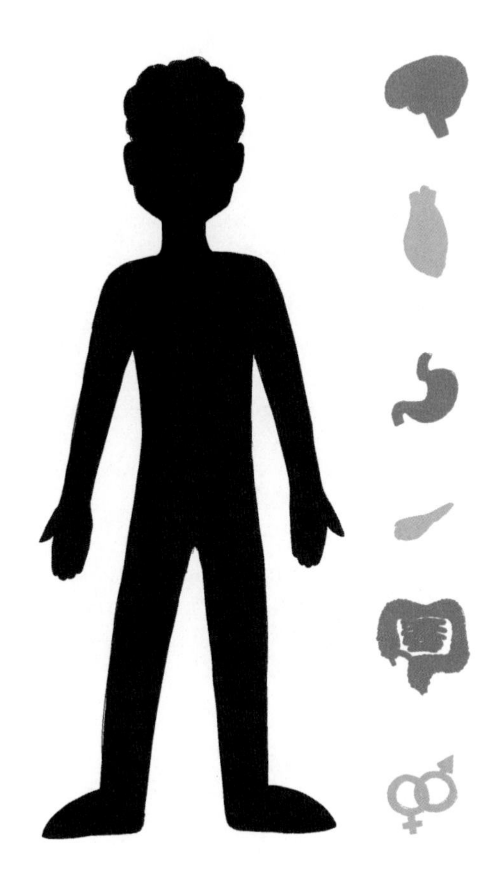

Figura 2

A DÓNDE SE VA MI TIEMPO?

(Para reflexionar)

A veces nos preocupamos por hacer una lista de las cosas por hacer durante la semana o durante el día, pero es igualmente importante estar consciente de las cosas que debemos evitar, esas pequeñas cosas que nos distraen y consumen el precioso tiempo que podemos dedicar a nuestras prioridades y en este caso, en estos diez días dedicados a limpiar y nutrir nuestro cuerpo.

¿En qué deseo enfocarme estos diez días?

____

____

____

____

¿Qué actividades puedo evitar para dedicar más tiempo a mis objetivos?

____

____

____

____

ESENCIALES DEL CAPÍTULO

- Fuimos creados para vivir y vivir en abundancia. Los hábitos correctos agregan calidad a nuestra vida.
- Mantener el cuerpo hidratado apropiadamente es indispensable para gozar de una vida sana y feliz. Empezar el día tomando un vaso grande lleno de agua en ayunas te cambiará la vida.
- Movamos el cuerpo constantemente. Escoger una actividad que disfrutemos y que podamos practicar constantemente nos mantendrá fuertes. Revive ese niño interior y disfruta de las cosas simples de la vida como una caminata en la naturaleza
- Establecer una rutina de dormir bien cada noche es clave para mantener todo nuestro cuerpo funcionando de manera óptima. Acuéstese temprano y duerma suficiente para restaurar cada órgano y gozar de energía y un día productivo.
- Aprender a manejar el estrés, incluyendo actividades de relajación nos ayudará a mejorar nuestra salud.

CAPÍTULO 5

ME PROPUSE NUTRIR MI ESPÍRITU

ACTITUD DE GRATITUD

Amanecer cada mañana escribiendo o expresando 3 cosas por las que me siento agradecida ha impactado mi vida de manera positiva. Es fácil hacerlo cuando todo va bien pero en esos días de tristeza requiere esfuerzo. Sin embargo, hay todo una ciencia detrás de este simple acto y de acuerdo a la fuente Psicología Hoy, provee muchos beneficios para la salud integral, entre ellos:

- La gratitud abre puertas para crear y cultivar más amistades y oportunidades.
- La gratitud mejora la salud física, ya que experimenta menos dolores e impacta la longevidad.
- La gratitud mejora la salud psicológica porque reduce emociones tóxicas como la envidia, el resentimiento y el enojo. Aumenta la alegría y reduce la depresión.
- La gratitud ayuda a dormir más y mejor.
- La gratitud mejora la autoestima y reduce la comparación social. La gente agradecida aprecia los triunfos de otros.
- La gratitud aumenta la fortaleza mental porque no solo reduce el estrés, pero juega un papel importante para superar traumas, ya que en los peores momentos de la vida fomenta la resiliencia. Con razón dice la Palabra de Dios en 1º Tesalonicenses 5:18: "Den gracias a Dios en toda situación, porque esta es su voluntad para ustedes en Cristo Jesús".

El Salmista lo enfatiza en Salmos 107:1: "Den gracias al Señor, porque Él es bueno; su gran amor perdura para siempre".

El Apóstol Pablo declara: "No se inquieten por nada; más bien, en toda ocasión, con oración y ruego, presenten sus peticiones a Dios y denle gracias".

¿Por qué te sientes agradecido en este momento?

____

____

____

____

VIVIENDO CON PROPÓSITO

Me tomó mucho tiempo encontrar y encajar esta pieza en la jornada de mi salud. Hay tanta distracción y personas diciéndonos qué debemos o no hacer en la vida.

Uno de los alimentos primarios más gratificantes para mantener una buena salud es vivir con propósito.

En mi experiencia personal, he experimentado que cuando a mi día le agrego actividades que me permiten servir, compartir o inspirar a alguien, mi salud es completa, me siento muy feliz y me olvido de mis penas.

Al enfocarnos en servir, en hacer el bien sin mirar a quién, apartamos el enfoque de nuestro ego y le damos espacio a la bondad y somos más felices.

Dejar una huella, un legado en esta vida no tiene precio. ¿Has notado lo que se dice en el funeral de alguien que ha muerto? No mencionan los títulos universitarios o cosas materiales que logró. Se menciona las virtudes, los actos de amor, cómo esa persona nos hizo sentir.

Fuimos creados para reflejar el amoroso y bondadoso carácter de Jesús. Sigamos su ejemplo. Por donde él iba hacía el bien y hasta dió su propia vida para todo aquel que cree en él, no se pierda y tenga vida eterna dice Juan 3:16.

Cuando nos enfocamos en servir a la humanidad el enfoque cambia del "yo". Hay toda una reacción en el cuerpo que nos lleva a producir más oxitocinas, endorfinas y dopamina que son las hormonas que alejan la depresión y aumenta los sentimientos de felicidad.

¿Cuáles son tus habilidades y talentos? ¿Cómo podrías usarlos para servir a otros?

____

____

____

____

¿Sientes que trabajas en algo que no te satisface? ¿Alguna vez has pensado en hacer algo diferente pero no sabes exactamente qué?

Este ejercicio es muy especial. Hay muchas cosas de la vida que están relacionadas con nuestra infancia y al recordar y analizar podemos encontrar conexiones interesantes que se pueden transformar en un mapa de vida.

Cuando yo lo hice, recordé cuando tenía 5 años y ya iba al primer grado en el colegio Adventista. Le pedía a mi maestra que me regalara yeso y llegaba a casa, sentaba mis pocas muñecas en una silla, me ponía unos zapatos rojos de tacón de mi madre y usaba una de las puertas de la casa como pizarra y comenzaba a enseñarles todo lo que había aprendido ese día jajaja. Al final, mi padre me compró una pizarra para que no le siguiera manchando las puertas.

Mi primer título universitario fue un Profesorado en Lenguaje y Literatura, recordé que gané el primer lugar en un concurso de oratoria a nivel universitario. Recordé la primera vez que prediqué en un Hogar-Iglesia que mi madre tenía en casa a mis 15 años. Recordé mi primer campaña evangelística a mis 17 años. La gente me invitaba y yo me sentía en mi elemento, como pez en el agua.

Al escribir esto pude recordar que enseñar, hablar en público, inspirar, aprender para compartir fue uno de los talentos que Dios me dió y decidí rendírselo y usarlo para ser un instrumento de Su voz en esta humanidad.

¿Cuáles eran tus sueños de infancia? Escribe, disfruta y conecta.

____

____

____

____

____

____

____

¿Qué pudieras hacer esta semana para hacerle el bien a alguien de tu familia o de tu comunidad? Escribe, planea y toma acción. ¡Luego me cuentas cómo te sientes!

____

____

____

____

____

____

DESCONECTAR PARA RECONECTAR

En este tiempo en donde predominan las redes sociales y todas las aplicaciones que fueron creadas para mantenernos más conectados, estamos careciendo de conexiones genuinas.

Es necesario, que para gozar de una salud integral, nos desintoxiquemos también de las cosas que ofrece la tecnología moderna y de manera intencional, establecer nuestras prioridades y cultivar el amor de familia y amigos verdaderos.

Hace un tiempo, le propuse a mis hermanos apartar el primer domingo de cada mes para pasar un tiempo juntos y cada mes alguien se encarga de coordinar qué actividades hacer juntos. ¡Ha sido una de las mejores decisiones! Nuestro amor y confianza se ha fortalecido y a pesar de las vicisitudes de la vida nos sentimos más unidos.

No existe algo más valioso que nuestras relaciones con Dios, con la familia y amigos. Podemos tener éxito en las finanzas, la profesión y comer todo el brócoli del mundo, *pero nada se compara con sentirse amado y poder amar sin máscaras ni condiciones.* Desconectar para reconectar y estar presente en cada momento.

TIEMPO CON JESÚS

Desconectarnos de las múltiples voces para conectarnos con Dios nos llevará a una nueva dimensión en la salud. Él es Creador y Sustentador de la vida y nada ni nadie puede llenar el vacío que solo Dios puede llenar. Dios desea que vivamos una vida conectados diariamente con él, anhela que le permitas entrar a tu vida y que lo conozcas personalmente. Él te dice: Aquí, yo estoy a tu puerta y llamo, si abres la puerta de tu corazón y tu mente, yo entraré y cenaré contigo y tú conmigo. ¡Qué delicia! Gozar de Su presencia, Su paz, Su amor, Su Palabra, Su instrucción! En el libro El Deseado de todas las gentes encontramos la única necesidad de Marta, la ocupada y estresada Marta, era:

"La 'una cosa' que Marta necesitaba era un espíritu de calma y devoción, una ansiedad más profunda por el conocimiento referente a la vida futura e inmortal, y las gracias necesarias para el progreso espiritual. *Necesitaba menos preocupación* por las cosas pasajeras y más por las cosas que perduran para siempre."

Este texto me tocó profundamente. Entendí que he vivido toda mi vida afanada por las cosas temporales y descuidando lo más importante: mi relación con Jesús.

¿Cómo lograrlo? Un día a la vez. En la mañana al despertar, desde tu cama platica con él como a un amigo. Por ejemplo: Buenos días Padre, gracias por abrir mis ojos a otro día, tú eres siempre fiel. Gracias porque tus misericordias que se renuevan cada mañana. Gracias por tu paciencia conmigo. Gracias por amarme tanto sin merecerlo. Gracias por la libertad que gozo de hablar contigo. Aquí estoy para gozar de tu presencia, lléname de tu paz, límpiame, aumenta mi deseo de amarte y conocerte. Te doy permiso para que tú tomes el control de este día y que mi vida pueda ser una bendición para alguien hoy para que tu nombre sea exaltado. Depongo a tus pies todos mis planes, mis temores y mi ansiedad. Muéstrame el camino, ayúdame a confiar en tus promesas y al abrir tu Palabra permíteme escuchar tu dulce voz. ¡Te amo! En el nombre de Jesús. ¡Amén!

Abre tu Biblia, lee algo. No importa si es un solo versículo. *Así como con las verduras. Le irás encontrando sabor a medida lo vayas incorporando más en tu rutina diaria*, al punto que naturalmente te antojarás de comer ese Pan de Vida que saciará tu alma.

ESENCIALES DEL CAPÍTULO

- Alimentar el espíritu es parte vital en la búsqueda de una buena salud.
- Cultivar un espíritu de gratitud cada día por la mañana y antes de acostarte impactará tu salud de manera positiva porque tu perspectiva se enfoca en apreciar las bendiciones que gozas sean grandes o pequeñas.
- Vivir con propósito es vivir una vida de servicio. Fuimos creados para buenas obras y producimos mas endorfinas y dopamina (las hormonas de la felicidad) cuando hacemos el bien.
- Tomar conciencia en la importancia de cultivar relaciones interpersonales y ser intencional en establecer límites en el uso de la tecnología y desconectar para reconectarte con tus prioridades y seres queridos.
- Dedicar los primeros momentos del día para disfrutar de la presencia de Jesús es indispensable para un buen día y gozar de paz, salud física, mental y espiritual.

CAPÍTULO 6

ME PROPUSE AMARME

"Trátate a ti mismo como a alguien que amas". Es muy fácil decirlo.

Yo crecí con padres abnegados y trabajadores hasta el punto de olvidarse de cultivar su propio jardín. Se despertaban a las 5 a.m. y no paraban hasta las 9 de la noche y uno tiende a imitarlos.

Me la pasaba corre corre cada día entre el trabajo de tiempo completo, la universidad por la noche, tareas de casa y de mis clases hasta la media noche. Luego el fin de semana, involucrada en diversas actividades...y según yo, esto era ser productivo y que mantenerme "ocupada" y estresada, era vivir en busca del "éxito".

No fue sino hasta que entendí la importancia de dedicarme un tiempo para mí y de tener momentos dedicados al descanso y la relajación.

Consentirse a uno mismo no es un acto de egoísmo, al contrario, *necesitamos llenar nuestro vaso para seguir dando;* es colocar tu máscara de oxígeno primero antes de querer ayudar a otro a colocar su máscara. Esto a veces requiere aprender a decir "no" y poner en tu calendario actividades que disfrutes y que traigan calma y gozo a tu vida.

AMA TU CUERPO, AMA LA VIDA.

Algunas ideas para empezar una rutina de cuidado personal:

- Un baño tibio con sal Epsom. Llenas la tina con agua tibia, le agregas una taza de sal, pones música instrumental, apaga las luces, enciende una vela y sumerges tu cuerpo hasta el cuello por 20 minutos. El magnesio que contiene esta sal, relajará tus músculos, ayuda a restaurar tu piel y a relajar tu mente. Pruébalo, ¡es lo máximo!
- Masaje. Busca un masajista, haz una cita y ponlo en tu calendario. Invierte en tí y disfrútalo sin culpas.
- Tiempo con una amiga(o). Escoge una persona que no drena tu energía una persona positiva. Salgan a tomar un té juntas y rían mucho.
- Visita una librería y lee un libro que disfrutes.
- Haste una mascarilla casera.

- Cantar. Puede ser en tu carro o en tu casa. ¡Canta mucho!
- Haste un pedicure.
- Tómate una siesta.
- Ir a un parque y caminar. Escucha tu audiolibro o podcast favorito.
- Planifica un picnic solo o con familia/amigos.
- Antes de dormir, coloca una botella de agua caliente sobre el estómago para ayudar a relajarte y a tu digestión.
- Organiza tu closet dejando solo tus favoritos, lo que te quieres poner todos los días.
- Disfruta una puesta de sol. (Mantente presente y disfruta)
- Escríbete una carta cariñosa.

CARTA DE AMOR

Escribe una carta cariñosa detallando todas las cosas por las que sientes satisfacción de ti mismo. Menciona por qué eres un ser especial y describe tus mejores virtudes. Si te sientes incómodo, pídele a tu pareja o a alguien de tu familia que te escriba.

VIVIR SIMPLE

Vivimos en una sociedad consumista, que nos vende la idea que al tener esto o aquello seremos más felices y yo he sido víctima de la mercadotecnia. Hubo una época en mi vida en que vivía obsesionada con las cosas materiales (carro, ropa, zapatos, maquillaje, etc.) y aunque ganaba muy bien, llegué al exceso de empezar a endeudarme con tarjetas de crédito para mantener la apariencia y sostener ese estilo de vida.

No fue sino hasta que entendí que gran parte de gozar de una buena salud es vivir una vida simple y bien administrada. *Demasiadas personas gastan el dinero que no han ganado para comprar cosas que no necesitan para impresionar a personas que ni si quiera les importa.*

No sabía por dónde empezar y cierto día me encontré con un artículo sobre el Minimalismo, un concepto que jamás había escuchado y entre más lo estudiaba, más me convencía de que necesitaba experimentarlo.

El minimalismo es una práctica de vivir con lo esencial de adquirir solamente cosas que agregan valor y significado a tu vida; y como cada persona es distinta, este concepto se adapta a tu bio-individualidad y puedes aplicarlo en todas las áreas de tu vida. Este concepto revolucionó mi vida porque aunque crecí en un hogar humilde y con limitaciones y con una madre sabia y sin vanidad alguna; la universidad, la iglesia, la sociedad, la televisión, las redes sociales fueron alienando mi mente a vivir de las apariencias, porque gastaba más de lo que ganaba por mantenerme con la última moda en todo. Pero me sentía vacía. No era auténtica. Me ahogaba el sentido de competencia para mantener "mi estatus".

Hasta que un día en el año 2015, me propuse en mi corazón vivir una vida más simple y tomar control sobre mis finanzas. Simplificar significa eliminar lo innecesario para darle espacio a lo necesario.

Mi jornada comenzó con el armario. Empecé a donar ropa y zapatos al punto de quedarme solo con "mis favoritos". Y cada fin de semana, dedicaba un tiempo para ir organizando "cada espacio de mi casa". Sentí que volví a tener control sobre las cosas y no que las cosas me controlaban a mí. ¡Un gran alivio!

Es emocionante cómo *vivir con menos puede llevarte a vivir mejor* porque es la preocupación por las posesiones lo que nos previene de vivir una vida libre y noble.

La siguiente fase fue salir de deudas, poco a poco con un presupuesto claro y definido y colocando fechas de pago a cada deuda, empezando por la deuda en la que pagaba mayor porcentaje de interés. Después de dos años trabajando en equipo junto a mi esposo, lo logramos. ¡Ahora dedicamos esos recurso en construir recuerdos y compartir con los más necesitados!

Gracias a Dios que nos provee trabajo, salud y nos da la sabiduría para ser unos buenos administradores de sus bendiciones. Has notado que lo que Dios nos ha dado es lo mejor: la naturaleza, el amor, la sonrisa, las montañas, el abrazo, la familia, el aire, el sol, la lluvia, la playa, las frutas y verduras jaja.

Dejar a un lado el qué dirán, el deseo de impresionar al mundo y la obsesión por mantener las apariencias es clave para encontrar la paz verdadera y cultivar amor propio.

Sócrates dijo: "El secreto de la felicidad, no está en buscar más sino en desarrollar la capacidad de disfrutar con menos". Vivamos la jornada de la vida con la menor carga posible, ya que los placeres simples son como un refugio en este mundo confundido y vacío.

Vivir con lo esencial te provee libertad para amar, servir y disfrutar a plenitud. Con nuestro ejemplo, le enseñamos a nuestra futura generación que la verdadera felicidad y nuestro valor no se define con los excesos sino con un corazón dispuesto a servir. ¡El mejor legado!

Viene a mi mente el texto del sabio rey Salomón en Eclesiastés 12:8 "Vanidad de vanidades, todo es vanidad".

Hay un vacío que ninguna cosa material puede llenar. Es un vacío que solo una conexión auténtica con Jesús puede llenar. Esa comunión diaria e intencional que llena el alma de paz y sentido.

Si el dinero no fuera un obstáculo, ¿cómo sería tu día ideal? ¿Qué te gustaría hacer al despertar y en qué te gustaría enfocarte? ¿Qué podrías hacer para embellecer y simplificar tu espacio y tus finanzas? Con un plan y la bendición de Dios, en 1-3 años, tu vida puede ser distinta.

Descríbelo con detalles.

PERDONANDO

Como siempre enfatizo en mis seminarios: "Podemos comer todo el brócoli del mundo, pero si tenemos guardado por ahí en alguna esquina de la mente un resentimiento sin resolver, no gozaremos de una salud plena.

La comida es extremadamente fundamental para una buena salud, pero es aun más importante gozar de una conciencia pura y tranquila.

¿Hay alguien que te ha lastimado en alguna etapa de tu vida? Escribe una carta otorgándole el perdón. No importa si nunca te lo ha pedido ni tampoco tienes que enviársela. Yo he hecho este ejercicio en 3 ocasiones a personas que han dejado marcas dolorosas en mi vida, nunca las envié pero me saqué ese veneno que consumía mi corazón.

Le pedí a Dios que obrara un milagro y me ayudara a perdonar genuinamente y ha sido de gran beneficio para sanar mi alma y cultivar mi autoestima.

Perdonar es una forma de amarnos porque nos auto-liberamos de sentimientos destructivos que envenenan el alma. Dios nos dice en su Palabra en el libro de Efesios 4:32

"Más bien, sean bondadosos y compasivos unos con otros, y perdónense mutuamente, así como Dios los perdonó a ustedes en Cristo".

ESENCIALES DEL CAPÍTULO

- Dedicar un tiempo para consentirte es parte de una buena salud física, mental y espiritual. Calendarizar actividades que te producen gozo y tranquilidad son alimentos para el alma.
- Despojarnos del materialismo y aprender a vivir con lo esencial a disfrutar de las cosas simples de la vida, agregar gozo y propósito tales como experiencias que generan recuerdos inolvidables, servir al prójimo nos trae alivio mental, felicidad y ayuda a mejorar nuestras finanzas de manera positiva.
- Un gesto de amor propio es dejar ir aquello que envenena nuestra vida. Perdonar es medicina para el alma. Perdonar es libertad.

¿CÓMO ESTÁ MI VIDA?

Para reflexionar.
Circula el número que mejor describa cómo te sientes sobre cada parte de tu vida actualmente y luego explica por qué te sientes de esa forma.

Mi cuerpo

LO DETESTO **LO AMO**
0 1 2 3 4 5 6 7 8 9 10

Mis amistades

VACÍO **COMPLETO**
0 1 2 3 4 5 6 7 8 9 10

Mi trabajo/escuela

LO DETESTO **ME ENCANTA**
0 1 2 3 4 5 6 7 8 9 10

Mi autoestima

ME DETESTO **ME AMO**
0 1 2 3 4 5 6 7 8 9 10

Mis finanzas

ATEMORIZADO **PREPARADO**
0 1 2 3 4 5 6 7 8 9 10

Comida casera

NO COCINO **AMO COMER EN CASA**
0 1 2 3 4 5 6 7 8 9 10

Mi vida amorosa

DESCONECTADO **CONECTADO**
0 1 2 3 4 5 6 7 8 9 10

Espiritualidad

DESCONECTADO **CONECTADO**
0 1 2 3 4 5 6 7 8 9 10

Actividad física

NINGUNA **SUPER ACTIVA**

0 1 2 3 4 5 6 7 8 9 10

Mi cuerpo

____

____

Seguridad en ti mismo

SUPER INSEGURA **MUY SEGURA**

0 1 2 3 4 5 6 7 8 9 10

Mi trabajo/escuela

____

____

Vida social

AISLADA **ACTIVA**

0 1 2 3 4 5 6 7 8 9 10

Mis finanzas

____

____

Desarrollo personal

ESTANCADA **CRECIENDO**

0 1 2 3 4 5 6 7 8 9 10

Mi vida amorosa

____

____

Mis amistades

Seguridad en ti mismo

Mi autoestima

Vida social

Comida casera

Desarrollo personal

Espiritualidad

¿A qué le temes cuando piensas en los cambios que quieres hacer en tu vida?

Actividad física

¿Qué te emociona sobre los cambios que quieres hacer en tu vida?

___

___

___

___

___

Imagina que ya lo has logrado. ¿Cómo cambiaría tu vida?

___

___

___

___

___

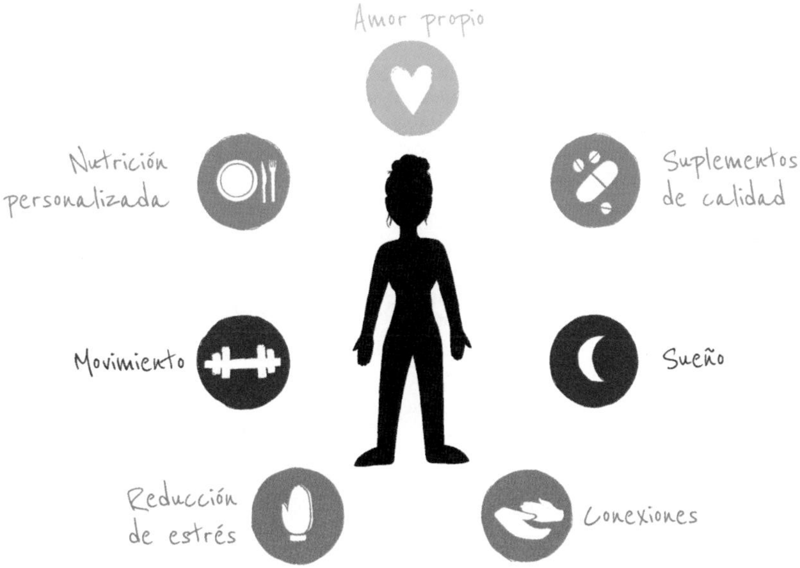

Amor propio

Nutrición personalizada

Suplementos de calidad

Movimiento

Sueño

Reducción de estrés

Conexiones

Notas:

___

___

Leche
B12

PARTE II

EL PLAN: ME PROPUSE EN MI CORAZÓN

10 DÍAS CON LICUADOS, ENSALADAS Y SOPAS

CAPÍTULO 7

ME PROPUSE DEFINIR MI POR QUÉ

¿CUÁL ES TU GRAN POR QUÉ?

(Ejercicio para reflexionar)

Hemos llegado a mi parte favorita del plan-¡la práctica! Antes de iniciar esta hermosa jornada de 10 días es importante establecer tu gran por qué.

En momentos en que quieras tirar la toalla o uno de esos días que suceda algo inesperado que te saque de tu rutina, tienes que afianzar tus pensamientos en ese motivo, esa razón por la cual comenzaste.

Mi gran motivo cuando empecé era curarme de mi problema gastrointestinal, eliminar mi acné y bajar de peso sin dietas destructivas. El motivo que me sostiene actualmente es mantener mi salud física, metal y espiritual para tener energía, optimismo, gozo, claridad mental y una conexión íntima con Jesús para poder ser Su instrumento de amor, inspiración y sanidad para esta humanidad.

Pueda que tu motivo sea bajar de peso, aprender más sobre una vida saludable para ayudar a tu familia, o deseas agregar más años a tu vida para gozar de tus hijos y nietos. Puede que tu motivo sea mejorar tu auto estima, sentirte segura y contenta con tu cuerpo. Pueda que tu motivo sea demostrarte que tu puedes lograr lo que te propones.

¿Qué es aquello que te mantendrá inspirada y motivada? ¿Qué te ha llevado a proponerte en tu corazón, como Daniel, a empezar tu nueva jornada hacia una mejor salud física, mental y espiritual?

____

____

____

Cada vez que sientas que ya no puedes continuar, regresa a esta página y lee nuevamente tu gran por qué o escríbelo en un papel y colócalo en tu espejo o en lugar visible. Como humanos tenemos días buenos y no tan buenos, pero es mejor progresar a tu paso de manera segura que buscar la perfección. Recuerda, progreso es mejor que perfecto.

CAPÍTULO 8

PARA TRIUNFAR

En mi experiencia, para triunfar en cualquier plan es educar la mente. Tienes una rutina, hábitos y sabores a los que estas acostumbrado. *La motivación es importante, pero lo esencial es tomar acción a pesar de cómo te sientes.* Impulsarte a dar el primer paso en el día para continuar con el segundo paso.

Cada decisión agrega o resta puntos en el banco de tu vida. El secreto para triunfar en cualquier meta está en esas micro-elecciones que si no lo hacemos no pasa nada inmediatamente, pero a largo plazo se tornan visibles.

A lo largo de mis experimentos entre mis fallas y triunfos he entendido que para cualquier proyecto o meta que te propongas realizar es necesario planificar.

Antes de empezar tu plan de 10 días, te recomiendo lo siguiente:

- Si no vives solo, *comparte tu deseo* y tu plan con los miembros de tu hogar. Menciona la fecha que vas a empezar y pídeles de manera amorosa y respetuosa que te apoyen y aún mejor que se unan contigo al plan. ¡Cuéntales todos los beneficios de consumir más plantas!
- *Considera las fechas* apropiadas en las que no tendrás distracciones o compromisos de viaje.
- Marca en tu calendario un día para *limpiar tu refrigerador* y despensa. Deshacerse de todo tipo de productos que no sea a base de plantas o que serán una posible tentación para tu día.
- Asigna en tu calendario qué día iras a *comprar tus ingredientes* y vitaminas. Te recomiendo que compres solamente para los primeros 5 días y luego para los siguiente 5. Recuerda llevar tu lista de compras.
- Si deseas, *publica en tus redes sociales* lo que te propusiste en tu corazón con el numeral #mepropuseenmicorazon para que sigan tu jornada y publica fotos de tus comidas para que puedas inspirar a tu comunidad y contagiarlos a un estilo de vida más saludable.

- *Forma un grupo de apoyo* en tu trabajo, iglesia o comunidad para hacer el plan juntos. Esta científicamente comprado que aumentan las probabilidades de empezar y terminar con fuerza cualquier proyecto, cuando tenemos un grupo de apoyo.
- *Únete a mi grupo* de Facebook Me Propuse En Mi Corazon. Ahí estaré motivándote y acompañándote en tu jornada.
- *Los ingredientes son simples y accesibles,* pero si por alguna razón no encuentras alguno, o no te gusta, omítelo o substituye por algo similar. No te compliques y disfruta el proceso con optimismo.
- El plan contiene 3 tiempos. *Desayuno: licuados, almuerzo: ensaladas, cena: sopas y un postre saludable (opcional),* pero si deseas comer solo dos tiempos y/o un aperitivo, siéntete libre y escucha a tu cuerpo.
- Es importante que le permitas a tu sistema digestivo 5 *horas* en donde no comes nada después de cada comida, para lograr una digestión óptima.
- Es recomendable *cenar antes de las 6:00 p.m.* para un mejor descanso, pero cada quien tiene un horario de trabajo y rutina distintos. Recuerda que eres un ser único. Tu bioindividualidad y tu propia jornada son especiales. Adapta el plan a tus necesidades.
- Las recetas son *prácticas, deliciosas y fáciles* que puedes preparar en menos de 30 minutos. Este no es un libro de recetas, sino una guía práctica.
- Trata de seguir *la rutina de mañana* y de noche para que goces a plenitud de esta guía.
- *Prepara* con anticipación algunos alimentos. Si empiezas tu plan el lunes, entonces prepara el domingo. A mí me gusta preparar cada 3 días. Para los licuados, usa bolsitas Ziploc y agrega las frutas y/o las hojas verdes de cada día y escribe lunes, martes, etc y los metes al congelador. Para las ensaladas, cocer las legumbres con anticipación. Para las sopas puedes cortar los vegetales con anticipación o preparar las sopas y meterla al congelador y solo calentarla para la cena.
- Trata de seguir el plan e*n el orden indicado,* ya que esta diseñado para que consumas todos los nutrientes necesarios en cada día. Puedes intercambiar días completos, pero no tiempos de comida.
- *Un día a la vez.* No te abrumes, cada día empieza con una actitud firme y con entusiasmo, pídele a Dios que te fortalezca y te guíe ese día.
- Te recomiendo que en tu teléfono bajes la aplicación *Cronometer* y crea tu perfil para que puedas agregar los

alimentos que consumes cada día y lleves un control de los nutrientes que consumes cada día. No me gusta obsesionarme en contar calorías, pero para mantener un peso saludable es bueno conocer nuestros límites saludables.

- *Celebra y premia* tus pequeñas y grandes victorias cada día que lograste y al final de los diez días. Busca las ideas en el capítulo: Me propuse amarme.

LAS 10 C: PILARES DE TU PLAN

1. Compromiso
2. Calma
3. Confianza en Dios
4. Consistencia
5. Cocinar
6. Cambio
7. Comunidad
8. Compasión
9. Comunicación
10. Conciencia

CAPÍTULO 9

MENÚ SEMANAL - DÍAS 1-5

	DÍA 1	DÍA 2	DÍA 3	DÍA 4	DÍA 5
DESAYUNO	Licuado Verde Valiente	Licuado Papaya Positiva	Licuado Mango Maravilloso	Licuado Fresas Fascinantes	Licuado Naranjas Nutritivas
ALMUERZO	Ensalada Greca con Humus	Ensalada de Quinoa con Maíz	Ensalada de Lentejas	Ensalada con Pasta Verde	Ensalada Primaveral
POSTRE	Galletas de Arroz con Mantequilla de Almendra	Leche Dorada	Pudín de Chia con manzana	Nachos de Manzana	Bolitas Energéticas
CENA	Sopa Cremosa de Brócoli	Sopa de Frijoles Fácil	Sopa de Arroz con Espinacas	Sopa de Coliflor	Sopa de Lentejas

LISTA DE COMPRAS DÍAS 1-5

Usa el círculo al lado de los ingredientes para marcar lo que ya compraste, o que ya tienes en casa.

FRUTAS Y VEGETALES:

- ○Aguacates
- ○Ajos
- ○Apio
- ○Brócoli
- ○Cebolla roja y amarilla
- ○Cilantro
- ○Col rizada (kale)
- ○Espinacas bebé
- ○Guineos
- ○Limones
- ○Naranjas
- ○Papaya
- ○Pepinos
- ○Piña
- ○Tomates
- ○Zanahorias
- ○Arándanos (Blueberries)
- ○Cebollines (scallions)
- ○Champiñones
- ○Coliflor
- ○Dátiles (Medjool)
- ○Frambuesas (Raspberries)
- ○Fresas (frescas o congeladas)
- ○Mango
- ○Manzanas
- ○Perejil (parsley)
- ○Rúcula(Arugula)
- ○Tomates cherry

LEGUMBRES/GRANOS

- ○Arroz
- ○Avena en hojuelas
- ○Lentejas verdes

VITAMINAS

- ○B12
- ○D3

LÍQUIDO

- ○Caldo vegetal (4 cajitas)
- ○Esencia de vainilla
- ○Jugo de naranja
- ○Leche de Almendra (sin endulzar)
- ○Leche de coco

CONDIMENTOS

- ○Canela en polvo
- ○Comino molido
- ○Cúrcuma en polvo (tumeric)
- ○Jengibre fresco o en polvo
- ○Levadura nutricional (Nutritional yeast)
- ○Mostaza Dijon
- ○Pimentón molido (chili pepper)
- ○Pimienta Cayena (Cayenne pepper)
- ○Pimienta negra en polvo
- ○Sal de Mar

SEMILLAS/NUECES

- ○Almendras
- ○Cañamo (Hemp seeds)
- ○Chía
- ○Linaza molida
- ○Nuez (walnuts)
- ○Pistacho
- ○Quinoa
- ○Semillas de ayote
- ○Semillas de girasol

LATAS/FRASCOS

- ○Aceite de aguacate
- ○Aceite de coco
- ○Aceite de Oliva Extra Virgen
- ○Frijoles
- ○Garbanzos
- ○Maíz
- ○Mantequilla de Almendra
- ○Olivas negras

OTROS

- ○Cacao en polvo
- ○Chispas de chocolate oscuro (sin lactosa)
- ○Coco rallado seco sin azúcar
- ○Crema ácida vegana (vegan sour cream)
- ○Galletas de Arroz Inflado (Rice crackers)
- ○Granola
- ○Mantequilla vegetal
- ○Miel de maple
- ○Pan o chips Pitta
- ○Pasta Penne o Coditos
- ○Proteína vegetal en polvo (opcional)
- ○Té de Manzanilla (Chamomile)
- ○Tortillas de maíz
- ○Uvas Pasas
- ○Yogur vegetal (de coco, almendra o soya)

DÍA 1

FECHA:

RUTINA DE MAÑANA: (marca lo que hiciste)

○ Tiempo con Jesús: Orar + Leer la Biblia

○ 1 vaso con agua tibia con el jugo de un limón, polvo de cúrcuma y jengibre

○ 10 onzas de jugo de apio.

Tres cosas por qué te sientes agradecido hoy:

1 ____

2 ____

3 ____

Tres cosas importantes para cumplir hoy:

1 ____

2 ____

3 ____

○ Suplementos: vitamina D3 y B12

○ Actividad física: (elige uno)

- Caminar 30 minutos
- Saltar en mini-trampolín 10 minutos

Un acto de amor y bondad:

____

NOCHE 1

RUTINA DE NOCHE:

○ Desconectarme de la tv y el celular 2 horas antes de dormir

○ Consiéntete! (elige una)

- Té de manzanilla
- Botella con agua tibia sobre el estómago
- Masajea las extremidades con una toalla húmeda con agua tibia por 10 minutos

¿Qué lecciones aprendí? ¿Qué puedo mejorar mañana?

____

____

Celebrando: Hoy me siento satisfecho porque...

____

____

○ Leer

○ Orar

○ Dormir (Si es posible, no más tardar de las 9:30 pm)

¡Feliz noche!

AL DESPERTAR

HIDRATACIÓN:

- 1 vaso de agua tibia
- 1 limón
- 1 cucharadita de cúrcuma en polvo o fresca
- 3 rodajas de jengibre

Mezclarlo todo y tomar en ayunas con una pajilla/popote.

Jugo anti-inflamatorio:

- 10 oz de jugo de apio (1 vaso)

Sacar el extracto de 1-2 mazos de apio con tu extractor de jugos o usando la licuadora y luego lo cuelas. Tomarlo despacio.

NOTAS:

- Personalmente me gusta tomarme el agua durante mi estudio de la Biblia.
- Espero media hora para tomarme el jugo de apio.

DESAYUNO: LICUADO VERDE VALIENTE
7 ingredientes. 5 minutos. 1 Porción

INGREDIENTES:

- 1 taza de piña (congelada o fresca)
- 4 cucharadas de avena molida
- 1 taza de espinaca bebé
- 1 cucharada de linaza molida
- 1 1/2 de agua
- 1 cucharada de coco rallado disecado
- 1 guineo maduro

PREPARACIÓN:

1. Colocar todos los ingredientes en una licuadora. Licuar hasta que alcance una consistencia cremosa. ¡Disfruta!

NOTAS:

- Si usas piña fresca, agrega hielo.
- Puedes mezclar el agua con tu leche vegetal favorita.
- No te gusta el guineo? Puedes endulzar con miel de Maple.
- Más proteína: agrega una cucharada de semilla de cáñamo (Hemp) o una cucharada de tu proteína vegetal favorita.

ALMUERZO: ENSALADA GRECA CON HUMUS
8 ingredientes. 5 minutos. 8 porciones

INGREDIENTES:

Base:

- 2 tazas de rúcula
- 1/3 taza de chile dulce rojo
- 1/3 taza pepino (en cubos)
- 1 cucharada de cebolla roja picada
- 1/12 cucharada de aceite de oliva extra virgen
- 1/8 cucharadita de pimienta negra molida
- 1/4 taza de humus (puede comprarlo preparado)

Para hacerlo en casa: Humus

- 1 aguacate (mediano, pelado y sin semilla)
- 1 taza de garbanzos (de lata o cocinados)
- 1 ajo (diente)
- 1 cucharadita de mostaza de Dijon
- 1/4 cucharadita de sal de mar
- 3 cucharadas de jugo de limón
- 2 cucharadas de agua
- 1/4 taza de aceite de oliva extra virgen

PREPARACIÓN:

1. Agregar el aguacate al procesador de alimentos junto con los garbanzos, el ajo, la mostaza Dijon, sal de mar, jugo de limón y agua.
2. Encender el procesador de alimentos y mezcle hasta que el aguacate y los garbanzos estén casi suaves.
3. Cuando el humus esté casi suave, vierta lentamente en aceite de oliva. Deje que el procesador de alimentos se mezcle durante aproximadamente un minuto hasta que esté cremoso. Sazonar con sal adicional o jugo de limón si es necesario.
4. Servir con la ensalada. Almacenar el resto en la refrigeradora o compartir.

NOTAS:

- Sobras: el humus se conserva bien en un recipiente hermético en la refrigeradora hasta por dos días.
- Muy espeso: la consistencia del humus es demasiado espesa, diluya con 1 cucharada de agua por vez hasta alcanzar la consistencia deseada.
- Tamaño de la porción: Una porción es igual a aproximadamente 3 cucharadas de humus.
- Acompañar con chips/pan Pitta.(opcional)

POSTRE: GALLETAS DE ARROZ INFLADO CON MANTEQUILLA DE ALMENDRA
2 ingredientes. 5 minutos. 2 porciones

INGREDIENTES:

- 4 galletas simples de arroz inflado.
- 1/4 taza de mantequilla de almendra

PREPARACIÓN:

1. Embadurnar las galletas de arroz con la mantequilla de almendra y disfrutar.

NOTAS:

- Sino consigues mantequilla de almendra puedes sustituir con otro tipo de mantequilla de nuez o semilla. (Maní, girasol o cashew)
- Te gusta lo dulce? Añadir miel de maple, mermelada, rodajas de guineo o bayas.

CENA: SOPA CREMOSA DE BRÓCOLI
10 ingredientes. 30 minutos. 4 porciones

INGREDIENTES:

- 2 tazas de col rizada (picadas)
- 2 tazas de espinaca
- 3 tazas de brócoli (cortado en floretes)
- 1/2 cebolla amarilla (picada)
- 2 dientes de ajo (picados)
- 1 cucharada de aceite de coco
- Sal de mar y pimienta negra (al gusto)
- 2 tazas de caldo vegetal
- 1 taza de leche de coco
- 1/2 limon (jugo)

PREPARACIÓN:

1. Caliente el aceite de coco en una olla grande a fuego mediano. Agregue las cebollas y saltee hasta que estén transparentes.
2. Agregue el ajo y revuelva por otro minuto. Añadir el caldo de verduras a la olla. Revuelva hasta obtener un vapor ligero. Agregue los floretes de brócoli con la mezcla y deje cocer al vapor durante 5 minutos o hasta que el brócoli esté verde brillante.
3. Añadir sal y pimienta al gusto
4. Añadir la leche de coco y mezclar bien.
5. Añadir la espinaca y la col rizada. Revuelva hasta que las hojas se marchiten y retirar del fuego.
6. En el procesador de alimentos o licuadora, mezclar la sopa hasta que esté suave. Si utilizas la licuadora, asegurarse de remover la parte central de la tapa para permitir que escape el vapor.
7. Transfiera la mezcla de nuevo a la olla grande. Calentar a la temperatura deseada.
8. Servir y agregar jugo de limón y adornar con hojitas de cilantro.

INSPIRACIÓN:

"Todo lo puedo en Cristo
que me fortalece".

Filipenses 4:13

DÍA 2

FECHA:

RUTINA DE MAÑANA:

○ Tiempo con Jesús: Orar + Leer la Biblia

○ 1 vaso con agua tibia con el jugo de un limón, polvo de cúrcuma y jengibre

○ 10 onzas de jugo de apio.

Tres cosas por qué te sientes agradecido hoy:

1 ______________________________

2 ______________________________

3 ______________________________

Tres cosas importantes para cumplir hoy:

1 ______________________________

2 ______________________________

3 ______________________________

○ Suplementos: vitamina D3 y B12

○ Actividad física: (elige uno)

- Caminar 30 minutos
- Saltar en mini-trampolín 10 minutos

Un acto de amor y bondad:

____

NOCHE 2

RUTINA DE NOCHE:

○ Desconectarme de la tv y el celular 2 horas antes de dormir

○ Consiéntete! (elige una)

- Té de manzanilla
- Botella con agua tibia sobre el estómago
- Masajea las extremidades con una toalla húmeda con agua tibia por 10 minutos

¿Qué lecciones aprendí? ¿Qué puedo mejorar mañana?

____

____

Celebrando: Hoy me siento satisfecho porque...

____

____

○ Leer

○ Orar

○ Dormir (Si es posible, no más tardar de las 9:30 pm)

¡Feliz noche!

AL DESPERTAR

HIDRATACIÓN:

- 1 vaso de agua tibia
- 1 limón
- 1 cucharadita de cúrcuma en polvo o fresca
- 3 rodajas de jengibre

Mezclarlo todo y tomar en ayunas con una pajilla/popote.

Jugo anti-inflamatorio:

- 10 oz de jugo de apio (1 vaso)

Sacar el extracto de 1-2 mazos de apio con tu extractor de jugos o usando la licuadora y luego lo cuelas. Tomarlo despacio.

NOTAS:

- Personalmente me gusta tomarme el agua durante mi estudio de la Biblia.
- Espero media hora para tomarme el jugo de apio.

DESAYUNO: LICUADO PAPAYA POSITIVA

8 Ingredientes. 5 Minutos. 2 Porciones

INGREDIENTES:

- 11/2 taza de papaya madura
- 1/2 guineo maduro (congelado)
- 1 cucharada de cacao en polvo
- 1 cucharadita de canela en polvo
- 1 cucharadita de miel de maple o stevia

Decorar con:

- 1 cucharada de coco rallado
- 1/2 guineo en rodajas
- 1 puñado de bayas mixtas (mixed berries)

PREPARACIÓN:

1. Agrega todos los ingredientes en la licuadora y licuar hasta alcanzar una consistencia bien cremosa.
2. Vierte el licuado en un tazón y decora.

NOTAS:

- Puedes hacerlo con anticipación y guardarlo en el congelador en un recipiente de vidrio con tapa.

ALMUERZO: ENSALADA DE QUINOA CON MAÍZ
9 ingredientes. 15 minutos. 4 porciones

INGREDIENTES:

Para la quinoa:

- 1 taza de quinoa (seca)
- 1 3/4 tazas de caldo vegetal o agua.
- 2 tazas de maíz
- 4 tallos de cebollín
- 1/2 taza de perejil (picado)
- 1/2 taza de almendras

Aderezo:

- 2 cucharadas de jugo de limón
- 3 cucharadas de aceite de oliva
- 1 cucharadita de sal de ajo
- Sal y pimienta negra (al gusto)

PREPARACIÓN:

1. Combine la quinoa y el agua en una olla y deje hervir a fuego alto. Una vez hirviendo, reduce a fuego lento. Tapar y dejar cocer a fuego lento durante 12-15 minutos.
2. Revuelva la quinoa cocida con un tenedor y pásela a un bol para mezclar. Añadir maíz, cebollín, almendras, perejil y aderezo. Mezcle bien y disfrute!

NOTAS:

- No te gusta la quinoa: sustituye con arroz integral
- Puedes acompañarla con aguacate y brócoli hervido.
- Ajustar los condimentos al gusto

APERITIVO: LECHE DORADA
7 ingredientes. 10 minutos. 2 porciones

INGREDIENTES:

- 1 cucharada de jengibre (rallado)
- 1 taza de leche de coco
- 1 taza de agua
- 1 cucharadita de cúrcuma en polvo
- 1 cucharada de miel de maple
- 1/2 cucharadita de canela en polvo

PREPARACIÓN:

1. Rallar el jengibre y luego exprimir el jugo en una cacerola. Deseche la pulpa. Agregue los ingredientes restantes a la olla y coloque a fuego mediano. Calentar durante unos 5 minutos sin dejar que hierva. Batir continuamente.
2. Transfiera cuidadosamente a un frasco de vidrio y ciérrelo con la tapa. Agite vigorosamente durante unos 30 segundos o hasta que empiece a formarse una espuma. (Nota: también puede usar una licuadora para este paso, pero la cúrcuma puede manchar la taza de la licuadora.) Vierta en una taza usando un colador y disfrute.

NOTAS:

- Puedes usar jengibre en polvo en vez de fresco
- Puedes usar Stevia en vez de miel de maple
- Usa la raíz fresca de la cúrcuma en vez del polvo. Pelar la raíz y rallarla. Medir una cucharada de cúrcuma rallada por cada porción.
- Enjuaga los frascos y recipientes justo después de usar para evitar manchas. Si sucede, puedes usar bicarbonato de sodio para remover las manchas de cúrcuma.

CENA: SOPA FÁCIL DE FRIJOLES
15 ingredientes. 30 minutos. 4 porciones

INGREDIENTES:

- 4 latas(15 onzas) de frijoles negros
- 2 zanahorias (rallada)
- 4 dientes ajo (picado)
- 1 tallo de apio (picado finamente)
- 1 cucharada aceite de oliva
- 1 lata de tomates triturados
- 1 cucharada de comino molido
- 4 tazas de caldo vegetal
- 2 cucharaditas de sal
- 1 pizca de pimienta negra
- 2 cucharaditas pimentón en polvo

Para decorar:

- Rodajas de aguacate
- Cilantro fresco picado
- Espinaca fresca picada
- Rodaja de limón

PREPARACIÓN:

1. Sofreír con aceite de oliva a fuego mediano cebolla, ajo, zanahoria y apio por 5 minutos. Condimentar con comino, pimienta negra y chile en polvo; cocinar por 1 minuto. Agregar el caldo de verduras y 2 latas de frijoles. Dejar que hierva.
2. Mientras tanto, en un procesador de alimentos o licuadora, agregar las otras 2 latas de frijoles y los tomates hasta que estén suaves. Mezclar en la sopa hirviendo reducir a fuego lento hasta y cocer por 15 minutos.
3. Decorar

NOTAS:

- No caldo vegetal. Usar agua y un cubito de verduras.
- Puedes usar frijoles frescos cocidos en vez de lata.
- Acompañar con tortillas de maíz tostadas.

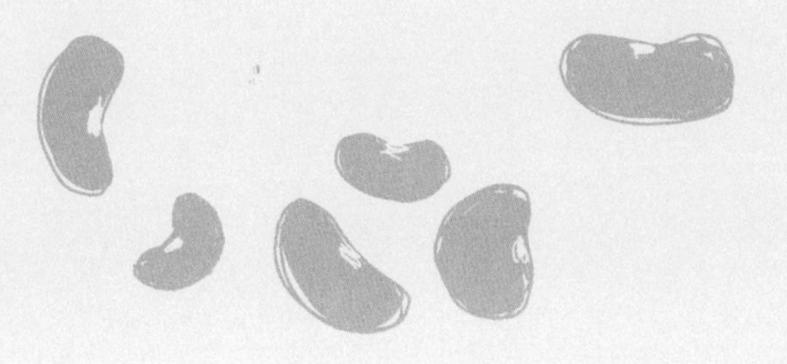

INSPIRACIÓN:

"Vengan a mí todos ustedes que están cansados y agobiados y yo les daré descanso".

Mateo 11:28

DÍA 3

FECHA:

RUTINA DE MAÑANA:

○ Tiempo con Jesús: Orar + Leer la Biblia

○ 1 vaso con agua tibia con el jugo de un limón, polvo de cúrcuma y jengibre

○ 10 onzas de jugo de apio.

Tres cosas por qué te sientes agradecido hoy:

1 ______

2 ______

3 ______

Tres cosas importantes para cumplir hoy:

1 ______

2 ______

3 ______

○ Suplementos: vitamina D3 y B12

○ Actividad física: (elige uno)

- Caminar 30 minutos
- Saltar en mini-trampolín 10 minutos

Un acto de amor y bondad:

______

NOCHE 3

RUTINA DE NOCHE:

○ Desconectarme de la tv y el celular 2 horas antes de dormir

○ Consiéntete! (elige una)

- Té de manzanilla
- Botella con agua tibia sobre el estómago
- Masajea las extremidades con una toalla húmeda con agua tibia por 10 minutos

¿Qué lecciones aprendí? ¿Qué puedo mejorar mañana?

____

____

Celebrando: Hoy me siento satisfecho porque...

____

____

○ Leer

○ Orar

○ Dormir (Si es posible, no más tardar de las 9:30 pm)

¡Feliz noche!

AL DESPERTAR

HIDRATACIÓN:

- 1 vaso de agua tibia
- 1 limón
- 1 cucharadita de cúrcuma en polvo o fresca
- 3 rodajas de jengibre

Mezclarlo todo y tomar en ayunas con una pajilla/popote.

Jugo anti-inflamatorio:

- 10 oz de jugo de apio (1 vaso)

Sacar el extracto de 1-2 mazos de apio con tu extractor de jugos o usando la licuadora y luego lo cuelas. Tomarlo despacio.

NOTAS:

- Personalmente me gusta tomarme el agua durante mi estudio de la Biblia.
- Espero media hora para tomarme el jugo de apio.

DESAYUNO: LICUADO MANGO MARAVILLOSO

8 ingredientes. 5 minutos. 1 porción

INGREDIENTES:

- 1 taza de mango maduro (congelado)
- 1 taza de arándanos (blueberries)
- 1 cucharada de linaza molida
- 11/2 taza de jugo de naranja (preferiblemente fresco)
- 4 cucharadas de avena
- 1 chorrito de vainilla
- Miel de maple al gusto

Decorar:

- Fresas cortadas.

PREPARACIÓN:

1. Agregar todos los ingredientes en la licuadora y licuar hasta que alcance una consistencia suave y cremosa.
2. Agregar encima las fresas cortadas y disfrutar!

NOTAS:

- Más dulce: usar 1 guineo maduro

ALMUERZO: ENSALADA DE LENTEJAS
12 ingredientes. 20 minutos. 2 porciones

INGREDIENTES:

Base:

- 1 puñado de espinaca
- 1/2 taza de rúcula (arugula)
- 2 cucharadas de perejil fresco (hoja plana)
- 1/2 cabeza de lechuga romana

Lentejas:

- 1/2 taza de lentejas verdes
- 2 tazas de caldo de verduras o agua
- 3 tazas de champiñones (en rodajas)
- 1/2 cebolla (picada finamente)
- 2 dientes de ajo
- 2 cucharaditas de aceite de aguacate
- 1/4 cucharadita de pimentón molido
- 1 limón (jugo)
- Sal de mar y pimienta (al gusto)

PREPARACIÓN:

1. Cocer las lentejas con el caldo de verduras por 25 minutos o hasta que esté tierna. Escurrir y dejar enfriar.
2. En una sartén pre-calentado, coloque los hongos (sin aceite). Dejar durante 2 minutos antes de moverlos para voltearlos. Los champiñones deben ser ligeramente dorados. Cocine por un minuto más antes de retirar de la sartén y repetir con los champiñones restantes. Reduzca el fuego a medio bajo y agregue 2 cucharaditas de aceite de oliva y agregue la cebolla. Cocine hasta que esté ligeramente dorado en los bordes y regrese los champiñones a la sartén, agregue los ajos y el chile y cocine por 2 minutos, o hasta que el ajo esté fragante, pero no dorado, ya que tendrá un sabor amargo.
3. Dejar enfriar. Mezcle las lentejas, los champiñones y el ajo junto con el jugo de limón. Sazone al gusto y sirva sobre la base de hojas verdes.

NOTAS:

- No aceite de aguacate: usar aceite de oliva o mantequilla vegana.
- No rúcula: agrega col rizada o mezcla de hojas verdes.

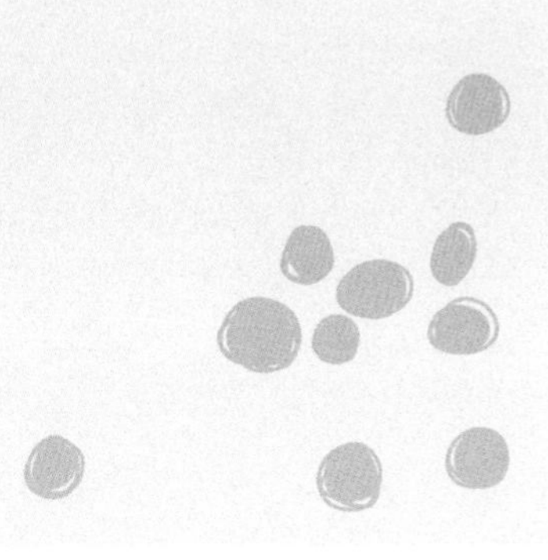

POSTRE: PUDÍN DE CHÍA CON MANZANA
7 ingredientes. 10 minutos. 1 porción

INGREDIENTES:

- 3 cucharadas de chía
- 3/4 taza de leche de almendra sin endulzar
- 1/4 cucharadita de canela en polvo
- 1 manzana cortada y sin el corazón
- 2 cucharadas de nuez (walnut)
- 1 cucharada de mantequilla de almendra
- 1 cucharadita de miel de maple

PREPARACIÓN:

1. Mezcle la chía, la leche de almendra y la canela en una olla pequeña a fuego medio-lento.
2. Revuelva hasta que se caliente y la mezcla se espese, alrededor de 5-7 minutos.
3. Retirar del fuego y añadir a un bol. Cubra con manzanas, nueces, mantequilla de almendra y miel de maple.

NOTAS:

- Si hay sobras, se mantiene en un recipiente hermético en el refrigerador hasta 3 días.
- Se puede preparar en versión fría, dejando reposar la chía con la leche y la canela por unos 15 minutos antes de agregar el resto de los ingredientes.
- Se puede usar leche de coco en vez de almendras y semillas de ayote en vez de walnut.

CENA: SOPA DE ARROZ CON ESPINACA
9 ingredientes. 15 minutos. 2 porciones

INGREDIENTES:

- 1/4 taza cebolla amarilla (picada)
- 1 zanahoria (picada)
- 1/4 taza arroz parcialmente hervido
- 2/3 tazas caldo de verduras
- 1 taza de espinaca
- 1 cucharada de levadura nutricional
- Sal y pimienta (al gusto)
- Opcional: Crema acida vegana(sour cream)

PREPARACIÓN:

1. En una cacerola sofreír la cebolla y las zanahorias con una pizca de sal a fuego mediano hasta que estén tiernos. Agregue el arroz y cocinar hasta que el arroz tenga un color dorado claro.
2. Agregar 2/3 taza de caldo de verduras. Cuando el caldo empiece a hervir, reducir a fuego lento. Tapar y cocinar por 15-20 minutos.
3. Agregar la espinaca y levadura nutricional. Sazonar al gusto con sal y pimienta. Cocinar por 1 minuto.
4. Servir con crema vegana y limón. (Opcional)

INSPIRACIÓN:

"Busqué a Jehová, y él me oyó,
y me libró de todos mis temores".

Salmos 34:4

DÍA 4

FECHA:

RUTINA DE MAÑANA:

○ Tiempo con Jesús: Orar + Leer la Biblia

○ 1 vaso con agua tibia con el jugo de un limón, polvo de cúrcuma y jengibre

○ 10 onzas de jugo de apio.

Tres cosas por qué te sientes agradecido hoy:

1 ______________________________

2 ______________________________

3 ______________________________

Tres cosas importantes para cumplir hoy:

1 ______________________________

2 ______________________________

3 ______________________________

○ Suplementos: vitamina D3 y B12

○ Actividad física: (elige uno)

- Caminar 30 minutos
- Saltar en mini-trampolín 10 minutos

Un acto de amor y bondad:

____

NOCHE 4

FECHA:

RUTINA DE NOCHE:

○ Desconectarme de la tv y el celular 2 horas antes de dormir

○ Consiéntete! (elige una)

- Té de manzanilla
- Botella con agua tibia sobre el estómago
- Masajea las extremidades con una toalla húmeda con agua tibia por 10 minutos

¿Qué lecciones aprendí? ¿Qué puedo mejorar mañana?

____

____

Celebrando: Hoy me siento satisfecho porque...

____

____

○ Leer

○ Orar

○ Dormir (Si es posible, no más tardar de las 9:30 pm)

¡Feliz noche!

AL DESPERTAR

HIDRATACIÓN:

- 1 vaso de agua tibia
- 1 limón
- 1 cucharadita de cúrcuma en polvo o fresca
- 3 rodajas de jengibre

Mezclarlo todo y tomar en ayunas con una pajilla/popote.

Jugo anti-inflamatorio:

- 10 oz de jugo de apio (1 vaso)

Sacar el extracto de 1-2 mazos de apio con tu extractor de jugos o usando la licuadora y luego lo cuelas. Tomarlo despacio.

NOTAS:

- Personalmente me gusta tomarme el agua durante mi estudio de la Biblia.
- Espero media hora para tomarme el jugo de apio.

DESAYUNO: LICUADO FRESAS FASCINANTES

6 ingredientes. 5 minutos. 1 porción

INGREDIENTES:

- 1/2 taza fresas congeladas
- 1/4 taza pistacho(sin sal)
- 3 cubos de hielo
- 1 guineo maduro
- 1 cucharadita de esencia de vainilla
- Agua

PREPARACIÓN:

1. Agregar todos los ingredientes en la licuadora. Licuar hasta que alcance una consistencia cremosa.
2. Disfrutar

NOTAS:

- No guineo: endulzarlo con miel de maple o dátiles medjool remojados (remover la semilla)
- Almacenar: refrigerar en un recipiente de vidrio con tapa y dura hasta 48 horas.
- Más proteína: agregar una cucharada de polvo de proteína vegetal.

ALMUERZO: ENSALADA CON PASTA VERDE
12 ingredientes. 15 minutos. 2 porciones

INGREDIENTES:
Base:
- 1 taza de lechuga
- 1/2 taza de rucula
- 6 tomates cherry
- Pasta: Penne o coditos

Salsa:
- 1 taza de espinaca bebe
- 1 aguacate
- 1/4 taza de agua
- 2 cucharadas de levadura nutricional
- 1/4 cebolla (picada)
- 2 cucharadas de jugo de limón
- 1 diente de ajo
- Sal y pimiento al gusto

PREPARACIÓN:
1. Cocer la pasta penne o coditos de acuerdo a las instrucciones del paquete. Escurrir.
2. Preparar la salsa, licuando todos los ingredientes hasta que alcance una consistencia suave.
3. Mezclar la salsa con la pasta y condimentar con sal y pimienta. Colocar la base de hojas verdes, agregar la pasta y decorar con tomates cherry.

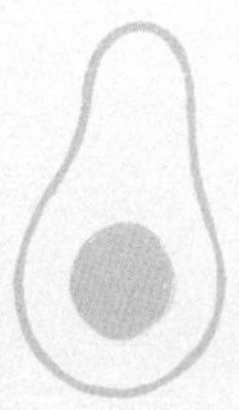

APERITIVO: NACHOS DE MANZANA
3 ingredientes. 5 minutos. 1 porción

INGREDIENTES:
- 1 manzana (en rodajas)
- 1 cucharada de mantequilla de almendra
- 1 cucharada de granola

PREPARACIÓN:
1. Organizar las rodajas de manzana en un plato.
2. Agregar la mantequilla de almendra y espolvorear granola.

NOTAS:
- No granola: usar nueces o semillas, pasas, chispas de chocolate oscuro o coco seco rallado.
- No mantequilla de almendra: usar cualquier mantequilla de nueces o semillas o chocolate oscuro derretido.

CENA: SOPA DE COLIFLOR
7 ingredientes. 25 minutos. 4 porciones

INGREDIENTES:

- 1 cabeza grande de coliflor(picado en floretes)
- 1 cebolla grande amarilla (picada)
- 5 dientes de ajo (picado)
- 1 taza leche de almendra (sin azúcar)
- 1 cucharada de levadura nutricional
- 2 tazas de caldo de vegetales
- 1 cucharadita de sal (o al gusto)

PREPARACIÓN:

1. En una olla grande, calentar 2 cucharadas de aceite de coco agregue la cebolla. Saltear hasta que tome un color transparente. Agregar el ajo y saltear por dos minutos.
2. Poner a hervir agua y cocer el coliflor hasta que las floretas esten suaves (de 6-8 minutos).
3. En la licuadora, agregar la cebolla y el ajo salteados, coliflor hervido, leche de almendra, caldo vegetal, levadura nutricional y sal. Licuar hasta que tenga un textura suave y cremosa.

NOTAS:

Si la sopa no está caliente al sacarla de la licuadora, verter la mezcla en una olla y calentarla hasta que alcance la temperatura deseada. Moverla frecuentemente.

INSPIRACIÓN:

"No tengas miedo, que yo estoy contigo; no te desanimes, que yo soy tu Dios. Yo soy quien te da fuerzas, y siempre te ayudaré; siempre te sostendré con mi justiciera mano derecha".

Isaías 41:10

DÍA 5

FECHA:

RUTINA DE MAÑANA:

○ Tiempo con Jesús: Orar + Leer la Biblia

○ 1 vaso con agua tibia con el jugo de un limón, polvo de cúrcuma y jengibre

○ 10 onzas de jugo de apio.

Tres cosas por qué te sientes agradecido hoy:

1 ______________________________

2 ______________________________

3 ______________________________

Tres cosas importantes para cumplir hoy:

1 ______________________________

2 ______________________________

3 ______________________________

○ Suplementos: vitamina D3 y B12

○ Actividad física: (elige uno)

- Caminar 30 minutos
- Saltar en mini-trampolín 10 minutos

Un acto de amor y bondad:

____

NOCHE 5

RUTINA DE NOCHE:

○ Desconectarme de la tv y el celular 2 horas antes de dormir

○ Consiéntete! (elige una)

- Té de manzanilla
- Botella con agua tibia sobre el estómago
- Masajea las extremidades con una toalla húmeda con agua tibia por 10 minutos

¿Qué lecciones aprendí? ¿Qué puedo mejorar mañana?

Celebrando: Hoy me siento satisfecho porque...

○ Leer

○ Orar

○ Dormir (Si es posible, no más tardar de las 9:30 pm)

¡Feliz noche!

AL DESPERTAR

HIDRATACIÓN:

- 1 vaso de agua tibia
- 1 limón
- 1 cucharadita de cúrcuma en polvo o fresca
- 3 rodajas de jengibre

Mezclarlo todo y tomar en ayunas con una pajilla/popote.

Jugo anti-inflamatorio:

- 10 oz de jugo de apio (1 vaso)

Sacar el extracto de 1-2 mazos de apio con tu extractor de jugos o usando la licuadora y luego lo cuelas. Tomarlo despacio.

NOTAS:

- Personalmente me gusta tomarme el agua durante mi estudio de la Biblia.
- Espero media hora para tomarme el jugo de apio.

DESAYUNO: LICUADO NARANJAS NUTRITIVAS

8 ingredientes. 10 minutos. 2 porciones

INGREDIENTES:

- 4 naranjas (pelados y cortadas en cubos
- 1 1/2 taza de leche de almendra
- 1/4 taza de yogur vegetal
- 1/2-1 taza de hielo
- 2 guineos medianos

PREPARACIÓN:

1. En una licuadora combinar todos los ingredientes a velocidad media-alta y licuar hasta que este cremoso.
2. Decorar con rodajas de naranjas, si deseas.

NOTAS:

- No guineos: puedes endulzar con agave o miel de maple.
- Yogur (de coco, almendra, o soya)
- Más proteína: agregar un puñado de espinaca.

ALMUERZO: ENSALADA PRIMAVERAL
10 ingredientes. 10 minutos. 2 porciones

INGREDIENTES:

Base:

- 1 taza de espinaca bebé
- 1 cabeza de lechuga romana (picada finamente)
- 1 taza de maíz (en lata)
- 1/2 pepino (cortado en cubos)
- 6 tomatoes cherry
- 1 cucharada de semillas de ayote
- 1 cucharada de uvas pasas secas

Aderezo:

- 2 aguacates
- 1 limón (verde)
- 1 diente de ajo (picado)
- 1/2 taza de cebolla (picada)
- 2 cucharadas de levadura nutricional
- 1/4 cucharadita de pimienta cayena
- 1/4 taza de agua

PREPARACIÓN:

1. Agregar todos los ingredientes del aderezo en la licuadora y licuar hasta que alcance una textura cremosa. Agregar más agua si lo deseas menos espeso.
2. Verter el aderezo sobre la base de la ensalada y disfrutar.

APERITIVO: BOLITAS ENERGÉTICAS
7 ingredientes. 10 minutos. 2 porciones

INGREDIENTES:

- 1/2 taza de almendras crudas
- 1/2 taza de nueces (walnuts)
- 1 taza de avena en hojuelas
- 2 cucharadas de cacao en polvo
- 1/4 to 1/2 cucharadita de sal
- 3/4 taza de dátiles (picados y sin la semilla)
- 1-2 cucharadas de agua

NOTAS:

- Si te gusta el coco, puedes embadurnar cada bolita con coco seco rallado.
- Almacenar en un recipiente hermético en el refrigerador o congelador

PREPARACIÓN:

1. Colocar almendras, nueces, avena, cacao y sal en el procesador de alimentos. Mezclar hasta que las nueces estén trituradas y la mezcla bien combinada. (Que no se haga mantequilla de nueces).
2. Agrega los dátiles y una cucharada de agua y procesar hasta que obtenga una consistencia pegajosa. Si la mezcla está demasiado suelta otra cucharada de agua hasta que la mezcla quede junta.
3. Formar las bolitas con las manos (una cucharada a la vez) y colocarlas en una bandeja cubierta con papel mantequilla. Colocar en el refrigerador durante al menos 1 hora. Disfrutar

CENA: SOPA DE LENTEJAS
11 ingredientes. 30 minutos. 4 porciones

INGREDIENTES:

- 1 1/2 cucharadas de aceite de coco o aguacate
- 1/2 taza de cebolla roja (picada finamente)
- 4 dientes de ajo (picados
- 3 tazas de tomate (picado)
- 1 cucharadita de sal de mar
- 1 taza de cilantro (picado finamente)
- 4 tazas de caldo de verduras
- 1/4 cucharadita de comino en polvo
- 1 taza de lentejas (crudas)
- 1 taza de leche de coco (de lata)
- 4 tazas de col rizada (finamente cortadas)

PREPARACIÓN:

1. Poner a calentar el aceite de coco en una cacerola a fuego mediano. Agregar la cebolla y sofreír por 4 minutos o hasta que esté transparente. Agregar el ajo y sofreír por un minuto.
2. Agregar comino, sal y apio. Mezclar bien. Agregar el cilantro, el caldo de verduras y el tomate. Esperar a que hierva y reducir a fuego lento.
3. Agregar las lentejas, cubrir y cocinar de 15-20 minutos. Cuando las lentejas estén bien cocidas, agregar la leche de coco. Mezclar bien y añadir la col rizada. Mezclar de nuevo hasta que la col este marchita. ¡Servir y disfrutar!

NOTAS:

- Decoración: cilantro y una tajada de limón.

INSPIRACIÓN:

"Dichoso el que resiste la tentación, porque al salir aprobado, recibirá la corona de la vida que Dios ha prometido a quienes lo aman".

Santiago 1:12.

CAPÍTULO 10

MENÚ SEMANAL - DÍAS 6-10

	DÍA 6	DÍA 7	DÍA 8	DÍA 9	DÍA 10
DESAYUNO	Bol de Acai Armonioso	Crema de fresas fabulosas	Licuado Desintoxicante Delicioso	Licuado tropical	Licuado de Melocotón motivador
ALMUERZO	Burrito Bol	Ensalada Ranch	Ensalada Fácil	Ensalada de fideos de calabacín	Ensalada rusa
POSTRE	Plátanos en gloria	Nueces con arándanos	Uvas congeladas	Pudín de chía y cacao	Dátiles con almendras
CENA	Sopa estilo Pho	Sopa de Ayote	Sopa de repollo	Sopa de arvejas	Sopa de maíz

LISTA DE COMPRAS DÍAS 6-10

Usa el círculo al lado de los ingredientes para marcar lo que ya compraste, o que ya tienes en casa.

FRUTAS Y VEGETALES:

- ○ Acai (congelado)
- ○ Aguacates
- ○ Ajos
- ○ Apio
- ○ Arvejas (peas)
- ○ Arándanos (blueberries)
- ○ Calabacines (zucchini)
- ○ Cebollas blancas y rojas
- ○ Cilantro
- ○ Col rizada (kale)
- ○ Curcuma en polvo
- ○ Dátiles Medjool
- ○ Espinaca bebé
- ○ Fresas congeladas
- ○ Guineos
- ○ Jalapeño fresco
- ○ Jengibre
- ○ Lechuga Romana
- ○ Limones
- ○ Limón amarillo
- ○ Mango (fresco o congelado)
- ○ Melocotones o duraznos (frescos o congelados)
- ○ Naranja
- ○ Papas
- ○ Pepinos
- ○ Perejil fresco
- ○ Perejil italiano (Italian parsley)
- ○ Pimentón rojo
- ○ Piña (fresca o congelada)
- ○ Plátanos
- ○ Repollo
- ○ Tomates
- ○ Uvas
- ○ Zanahorias

LÍQUIDO

- ○ Aceite de aguacate o coco
- ○ Aceite de oliva
- ○ Caldo Vegetal
- ○ Esencia de vainilla
- ○ Jugo de naranja
- ○ Leche de almendra (sin endulzar)
- ○ Leche de soya
- ○ Miel de maple
- ○ Salsa soya o Salsa Tamari
- ○ Vinagre de manzana

LATAS/FRASCOS

- ○ Frijoles
- ○ Garbanzos
- ○ Leche de coco
- ○ Mantequilla de maní o almendra
- ○ Maíz
- ○ Tomates enteros

CONDIMENTOS

- ○ Ajo en polvo
- ○ Canela en palo
- ○ Cebolla en polvo
- ○ Comino en polvo
- ○ Levadura nutricional
- ○ Mostaza Dijon (Dijon mustard)
- ○ Paprika
- ○ Pimentón molido (chili flakes)
- ○ Pimienta negra
- ○ Sal de Mar
- ○ Tomillo fresco (thyme)

SEMILLAS Y NUECES

- ○ Almendras
- ○ Cashews (semilla de marañón)
- ○ Chía
- ○ Pistachos
- ○ Semillas de ayote o calabaza
- ○ Semillas de cáñamo (Hemp hearts)

OTROS

- ○ Coco disecado rallado sin azúcar
- ○ Crema vegana (vegan sour cream)
- ○ Fideos de arroz (rice noodles)
- ○ Granola
- ○ Guacamole(si no lo quieres hacer fresco)
- ○ Hongos shiitake
- ○ Pico de Gallo (si no lo quieres hacer fresco)
- ○ Polvo de cacao
- ○ Puré de ayote o calabaza

LEGUMBRES/GRANOS

- ○ Arroz
- ○ Avena en hojuelas- (cruda y sin azúcar)

VITAMINAS

- ○ B12
- ○ D3

DÍA 6

FECHA:

RUTINA DE MAÑANA:

○ Tiempo con Jesús: Orar + Leer la Biblia

○ 1 vaso con agua tibia con el jugo de un limón, polvo de cúrcuma y jengibre

○ 10 onzas de jugo de apio.

Tres cosas por qué te sientes agradecido hoy:

1 ______________________________

2 ______________________________

3 ______________________________

Tres cosas importantes para cumplir hoy:

1 ______________________________

2 ______________________________

3 ______________________________

○ Suplementos: vitamina D3 y B12

○ Actividad física: (elige uno)

- Caminar 30 minutos
- Saltar en mini-trampolín 10 minutos

Un acto de amor y bondad:

____

NOCHE 6

RUTINA DE NOCHE:

- O Desconectarme de la tv y el celular 2 horas antes de dormir
- O Consiéntete! (elige una)
  - Té de manzanilla
  - Botella con agua tibia sobre el estómago
  - Masajea las extremidades con una toalla húmeda con agua tibia por 10 minutos

¿Qué lecciones aprendí? ¿Qué puedo mejorar mañana?

____

____

Celebrando: Hoy me siento satisfecho porque...

____

____

- O Leer
- O Orar
- O Dormir (Si es posible, no más tardar de las 9:30 pm)

¡Feliz noche!

AL DESPERTAR

HIDRATACIÓN:

- 1 vaso de agua tibia
- 1 limón
- 1 cucharadita de cúrcuma en polvo o fresca
- 3 rodajas de jengibre

Mezclarlo todo y tomar en ayunas con una pajilla/popote.

Jugo anti-inflamatorio:

- 10 oz de jugo de apio (1 vaso)

Sacar el extracto de 1-2 mazos de apio con tu extractor de jugos o usando la licuadora y luego lo cuelas. Tomarlo despacio.

NOTAS:

- Personalmente me gusta tomarme el agua durante mi estudio de la Biblia.
- Espero media hora para tomarme el jugo de apio.

DESAYUNO: BOL DE ACAÍ ARMONIOSO

5 ingredientes. 10 minutos. 1 porción

INGREDIENTES:

- 1 guineo grande congelado
- 1 paquete de acaí congelado
- 1 taza de arándanos congelados
- 1 taza de piña
- 1/2 taza de leche de almendra sin azúcar

PREPARACIÓN:

1. Agregar todos los ingredientes en la licuadora y licuar hasta tener una consistencia suave y cremosa
2. Decorar con tus ingredientes favoritos (fresas, frambuesas, granola, banano, coco rallado.)

NOTAS:

- No Acaí: puedes sustituir con moras

ALMUERZO: BURRITO EN BOL
7 ingredientes. 20 minutos. 2 porciones

INGREDIENTES:

- 1 taza de frijoles cocidos o en lata
- 1/2 taza de arroz cocido
- 1 cucharada de pico de gallo (procesar tomate, ajo, cebolla, cilantro, limon, sal y pimienta negra)
- 1 cucharada de guacamol (aguacate, sal de mar, jugo de limón)
- 1/2 taza de maíz en lata (enjuagar y escurrir)
- 1 cabeza de lechuga romana picada
- 1 limon verde

PREPARACIÓN:

1. Prepara todos los ingredientes por separado.
2. En un bol agregar la lechuga como base y agregar el resto de los ingredientes.
3. ¡Disfruta!

NOTAS:

- Puedes comprar todos los ingredientes ya preparados

APERITIVO: PLÁTANOS EN GLORIA
4 Ingredientes. 15 minutos. 4 porciones

INGREDIENTES:

- 3 plátanos (que no estén muy maduros o suaves)
- 2 tazas de agua
- 1 rama de canela
- 1 pizca de sal
- 2 cucharadas de jugo de naranja
- 1 cucharadita de ralladura de naranja.

NOTAS:

- Las sobras se puede preservar en el refrigerador.
- Se puede usar jugo de limón en vez de naranja.

PREPARACIÓN:

1. Cortar los extremos de cada plátano. Pelar y partir cada platano en 3 partes.
2. Colocar 2 tazas de agua con 1 rama de canela y 4 cucharadas de azúcar en una olla y poner a hervir a fuego medio alto por 20 minutos.
3. Cuando el agua esté espesando agregar los plátanos, pizca de sal, jugo de naranja y ralladura de naranja. Tapar la olla y cocinar por 25 minutos siempre a fuego medio.

CENA: SOPA ESTILO PHO
14 ingredientes. 20 minutos. 2 porciones

INGREDIENTES:

Para la base:

- 8 oz de fideos de arroz secos
- 2 cucharadas de aceite de oliva (divididas)
- 1 taza de hongos shiitake
- Sal y pimienta negra
- 3 dientes de ajo (picados)
- 1 cucharada de salsa soya o tamari
- 1 cucharada de jengibre rallado
- 6 tazas de caldo vegetal

Para los adornos:

- 1 cebolla (en rodajas finas)
- 2 tazas de brotes de soya
- 1/2 taza de hojas de menta fresca
- 1 jalapeño (en rodajas finas)
- 2 limones (divido en dos)

PREPARACIÓN:

1. En una olla grande con agua, cocine los fideos de arroz de acuerdo con las instrucciones del paquete; escurrir bien y dejar reposar.
2. Caliente 1 cucharada de aceite de oliva en una olla grande a fuego medio, sazone los hongos con sal y pimienta al gusto y sofreír por unos 2-3 minutos.
3. Agregar otra cucharada de aceite, el ajo y el jengibre y cocine revolviendo frecuentemente por 1-2 minutos.
4. Mezclar con el caldo de vegetales salsa soya. Hervir y reducir el calor y cocinar a fuego lento durante 10 minutos.
5. Servir inmediatamente con fideos de arroz y hongos adornado con cebolla, brotes de soya, cilantro, menta, jalapeño y limón.

INSPIRACIÓN:

Cuida tu corazón más que otra cosa
porque es la fuente de vida.

Proverbios 4:23

DÍA 7

FECHA:

RUTINA DE MAÑANA:

○ Tiempo con Jesús: Orar + Leer la Biblia

○ 1 vaso con agua tibia con el jugo de un limón, polvo de cúrcuma y jengibre

○ 10 onzas de jugo de apio.

Tres cosas por qué te sientes agradecido hoy:

1 ________________________________

2 ________________________________

3 ________________________________

Tres cosas importantes para cumplir hoy:

1 ________________________________

2 ________________________________

3 ________________________________

○ Suplementos: vitamina D3 y B12

○ Actividad física: (elige uno)

- Caminar 30 minutos
- Saltar en mini-trampolín 10 minutos

Un acto de amor y bondad:

____

NOCHE 7

RUTINA DE NOCHE:

○ Desconectarme de la tv y el celular 2 horas antes de dormir

○ Consiéntete! (elige una)

- Té de manzanilla
- Botella con agua tibia sobre el estómago
- Masajea las extremidades con una toalla húmeda con agua tibia por 10 minutos

¿Qué lecciones aprendí? ¿Qué puedo mejorar mañana?

____

____

Celebrando: Hoy me siento satisfecho porque...

____

____

○ Leer

○ Orar

○ Dormir (Si es posible, no más tardar de las 9:30 pm)

¡Feliz noche!

AL DESPERTAR

HIDRATACIÓN:

- 1 vaso de agua tibia
- 1 limón
- 1 cucharadita de cúrcuma en polvo o fresca
- 3 rodajas de jengibre

Mezclarlo todo y tomar en ayunas con una pajilla/popote.

Jugo anti-inflamatorio:

- 10 oz de jugo de apio (1 vaso)

Sacar el extracto de 1-2 mazos de apio con tu extractor de jugos o usando la licuadora y luego lo cuelas. Tomarlo despacio.

NOTAS:

- Personalmente me gusta tomarme el agua durante mi estudio de la Biblia.
- Espero media hora para tomarme el jugo de apio.

DESAYUNO: CREMA DE FRESAS FABULOSAS

6 ingredientes. 5 minutos. 1 porción

INGREDIENTES:

- 1/2 taza de fresas congeladas
- 1/4 taza de pistachos
- 1/2 aguacate (pelado y cortado)
- 1 cucharadita de extracto de vainilla
- 4 cubos de hielo
- Agua (si es necesario)

PREPARACIÓN:

1. Agregar todos los ingredientes en la licuadora y licuar hasta obtener una consistencia suave y cremosa.

NOTAS:

- Opcional: Puedes agregar 1 cucharada de proteína en polvo vegetal, si deseas.

ALMUERZO: ENSALADA RANCH
10 ingredientes. 20 minutos

INGREDIENTES:

Dip:

- 1 papa mediana (pelada y cortada en cubos)
- 1 1/2 taza de agua
- 1/2 cucharadita de de sal marina
- 1/2 taza de cashews (remojados de la noche anterior)
- 2 cucharadas de jugo de limón
- 1/2 cucharadita de ajo en polvo
- 1/2 cucharadita de cebolla en polvo
- 1/4 taza de levadura nutricional
- 1 pimentón rojo (sin semilla)
- sal marina al gusto

Base de Ensalada:

- 1 lechuga romana picada
- 1 pepino

PREPARACIÓN:

1. Poner la papa a hervir con el agua y la sal, sin tapar, por 10-15 minutos hasta que este blanda. Escurrir y guardar el agua para licuar.
2. Escurrir los cashews y agregar junto con el resto de los ingredientes a la licuadora junto con la papa hasta que alcance una consistencia cremosa. Agregar el agua poco a poco hasta que alcance la textura deseada.
3. Servir sobre la base de ensalada y disfrutar.

NOTAS:

- Puedes agrega mas ingredientes a la base si deseas.
- No cashews: Omítelo de la receta y funciona bien.

APERITIVO: NUECES CON ARÁNDANOS

INGREDIENTES:

- Aperitivo: Nueces con arándanos

PREPARACIÓN:

1. Mezclar y disfrutar

NOTAS:

- Si deseas algo más dulce puedes agregar dátiles.

CENA: SOPA FÁCIL DE AYOTE
10 ingredientes. 20 minutos. 2 porciones

INGREDIENTES:

- 1/2 cebolla blanca, picada
- 2 dientes de ajo, picados finamente
- 2 tazas de ayote/calabaza
- 1 taza de leche de coco
- 2 tazas de caldo vegetal (bajo en sodio)
- 1 cucharadita de sal (o menos si tu caldo no es bajo en sodio)
- 1/4 cucharadita de pimienta al gusto
- 1-3 cucharadas de miel de maple (dependiendo que tan dulce lo prefieras)
- 1 cucharada de semilla de ayote (pumpkin seeds)

PREPARACIÓN:

1. Sofreír la cebolla y ajo en una olla mediana a fuego mediano con un poquito de agua (si no usas aceite) hasta que estén transparentes.
2. Agegar el resto de los ingredientes y mezclar, continúa hirviendo a fuego medio bajo por 15 minutos. Mover continuamente.
3. Transferir a la licuadora toda la mezcla y licuar.

NOTAS:

- Servir y decorar con semillas de Ayote.

INSPIRACIÓN:

Jehová es mi fortaleza y mi escudo;
en él confió mi corazón, y fui ayudado,
por lo que se gozó mi corazón,
y con mi cántico le alabaré.

Salmos 28:7

¡Ya terminaste una semana! Solo quedan 3 días más

DÍA 8

FECHA:

RUTINA DE MAÑANA:

○ Tiempo con Jesús: Orar + Leer la Biblia

○ 1 vaso con agua tibia con el jugo de un limón, polvo de cúrcuma y jengibre

○ 10 onzas de jugo de apio.

Tres cosas por qué te sientes agradecido hoy:

1 ______________________________

2 ______________________________

3 ______________________________

Tres cosas importantes para cumplir hoy:

1 ______________________________

2 ______________________________

3 ______________________________

○ Suplementos: vitamina D3 y B12

○ Actividad física: (elige uno)

- Caminar 30 minutos
- Saltar en mini-trampolín 10 minutos

Un acto de amor y bondad:

____

RUTINA DE NOCHE:

○ Desconectarme de la tv y el celular 2 horas antes de dormir

○ Consiéntete! (elige una)

- Té de manzanilla
- Botella con agua tibia sobre el estómago
- Masajea las extremidades con una toalla húmeda con agua tibia por 10 minutos

¿Qué lecciones aprendí? ¿Qué puedo mejorar mañana?

Celebrando: Hoy me siento satisfecho porque...

○ Leer

○ Orar

○ Dormir (Si es posible, no más tardar de las 9:30 pm)

¡Feliz noche!

AL DESPERTAR

HIDRATACIÓN:

- 1 vaso de agua tibia
- 1 limón
- 1 cucharadita de cúrcuma en polvo o fresca
- 3 rodajas de jengibre

Mezclarlo todo y tomar en ayunas con una pajilla/popote.

Jugo anti-inflamatorio:

- 10 oz de jugo de apio (1 vaso)

Sacar el extracto de 1-2 mazos de apio con tu extractor de jugos o usando la licuadora y luego lo cuelas. Tomarlo despacio.

NOTAS:

- Personalmente me gusta tomarme el agua durante mi estudio de la Biblia.
- Espero media hora para tomarme el jugo de apio.

DESAYUNO: LICUADO DESINTOXICANTE DELICIOSO

8 ingredientes. 10 minutos. 2 porciones

INGREDIENTES:

- 3 tazas de espinaca bebé
- 1/2 taza de guineo maduro (fresco o congelado)
- 1/2 taza de pepino (pelados y cortados)
- 1/4 taza de hojas de perejil fresco (opcional)
- 1 limón (pelado y entero)
- 1-2 cucharadas de semillas de cáñamo (opcional)
- 1-11/2 tazas de mango en cubos
- 3/4-1 taza de agua

PREPARACIÓN:

1. Combinar todos los ingredientes en una licuadora hasta que alcance una consistencia cremosa.
2. Agregar más agua si deseas una consistencia más liquida.

NOTAS:

- Puedes ajustar la cantidad de mango de acuerdo a tu gusto. Si te gusta más o menos dulce.
- Si no te gusa el guineo, usa manzana roja o simplemente omítelo.

ALMUERZO: ENSALADA CRUJIENTE DE KALE CON AGUACATE
8 ingredientes. 15 minutos. 2 porciones

INGREDIENTES:

- 1 manojo de kale (col rizada)
- 1/2 taza de pimentón (rojo, amarillo y anaranjado)
- 1/4 taza de cebolla roja
- 1/4 manojo de cilantro o perejil
- 2 cucharadas de jugo de limón fresco
- 1 aguacate grande
- 1/2 taza de garbanzos en lata
- Sal de mar y pimienta negra al gusto

PREPARACIÓN:

1. Enjuagar el kale y cortarlo en piezas pequeñas. Corta los pimentones y la cebolla. Picar el cilantro finamente.
2. Coloca el kale en un bol grande. Partir el aguacate y sacar la semilla. Agregar al bol de kale. Escurrir y enjuagar los garbanzos en lata.
3. Usando tus manos, masajear el kale con el aguacate for 1-2 minutos. Añadir jugo de limón, sal y pimienta, los pimentones y la cebolla y servir.

NOTAS:

- La cebolla es opcional.

APERITIVO: UVAS CONGELADAS
1 ingrediente. 1 minuto. 2 porciones

INGREDIENTES:

- 10 uvas

PREPARACIÓN:

1. Coloca las uvas al congelador la noche anterior.

CENA: SOPA DELICIOSA DE REPOLLO
15 ingredientes. 1 hora. 4-6 porciones

INGREDIENTES:

- 1/2 cebolla
- 1-2 dientes de ajo
- 1 zanahoria grande
- 7 tazas de caldo vegetal
- 1/4 cucharadita de pimentón molido (chili flakes)
- 6 tazas de repollo
- 1 taza de tomates enteros (en lata y con semilla)
- 1 cucharada de aceite de oliva extra virgen
- 2 cucharaditas de sal de mar (al gusto)
- 1/4 cucharadita de pimienta negra molida
- 5 ramitas de tomillo fresco
- 1 hoja de laurel
- 1 cucharada de vinagre de manzana
- 1 cucharada de mostaza Dijon
- 2 cucharadas de perejil italiano

PREPARACIÓN:

1. Calentar un olla grande a fuego mediano y agregar aceite, cebollas, zanahorias y una pizca de sal. Dejar sudar la cebolla y zanahorias hasta que estén suave pero no dejes que se doren. Agregar el pimentón molido y ajo. Cocinar por 1 minuto, asegurándote de que el ajo no se torne café.
2. Agregar el repollo y una pizca de sal y dejar sudar por apróximadamente 10 minutos, removiendo de vez en cuando hasta que suavice. Al terminar, agregar el caldo vegetal, tomates, sal y pimienta. Dejar hasta que hierva.
3. Añadir hierbas (excepto el perejil) y condimentos a la sopa y dejar hervir por 15 minutos. Asegúrate de chequear de que las zanahorias estén bien cocidas.
4. Prueba la sopa para ajustar los condimentos, sal, pimienta o vinagre a tu gusto. Picar el perejil y agregar sobre las sopa. ¡Servir y disfrutar!

NOTAS:

- No te dejes intimidar por el tiempo o la lista de ingredientes. Esta sopa es nutritiva, deliciosa y fácil.
- Sino encuentras el perejil italiano, reemplaza con cilantro.

INSPIRACIÓN:

"Pero tú, Señor, me rodeas cual escudo;
tú eres mi gloria; tu mantienes
en alto mi cabeza!

Salmos 3:3

DÍA 9

FECHA:

RUTINA DE MAÑANA:

○ Tiempo con Jesús: Orar + Leer la Biblia

○ 1 vaso con agua tibia con el jugo de un limón, polvo de cúrcuma y jengibre

○ 10 onzas de jugo de apio.

Tres cosas por qué te sientes agradecido hoy:

1 ______________________________

2 ______________________________

3 ______________________________

Tres cosas importantes para cumplir hoy:

1 ______________________________

2 ______________________________

3 ______________________________

○ Suplementos: vitamina D3 y B12

○ Actividad física: (elige uno)

- Caminar 30 minutos
- Saltar en mini-trampolín 10 minutos

Un acto de amor y bondad:

____

NOCHE 9

RUTINA DE NOCHE:

○ Desconectarme de la tv y el celular 2 horas antes de dormir

○ Consiéntete! (elige una)

- Té de manzanilla
- Botella con agua tibia sobre el estómago
- Masajea las extremidades con una toalla húmeda con agua tibia por 10 minutos

¿Qué lecciones aprendí? ¿Qué puedo mejorar mañana?

____

____

Celebrando: Hoy me siento satisfecho porque...

____

____

○ Leer

○ Orar

○ Dormir (Si es posible, no más tardar de las 9:30 pm)

¡Feliz noche!

AL DESPERTAR

HIDRATACIÓN:

- 1 vaso de agua tibia
- 1 limón
- 1 cucharadita de cúrcuma en polvo o fresca
- 3 rodajas de jengibre

Mezclarlo todo y tomar en ayunas con una pajilla/popote.

Jugo anti-inflamatorio:

- 10 oz de jugo de apio (1 vaso)

Sacar el extracto de 1-2 mazos de apio con tu extractor de jugos o usando la licuadora y luego lo cuelas. Tomarlo despacio.

NOTAS:

- Personalmente me gusta tomarme el agua durante mi estudio de la Biblia.
- Espero media hora para tomarme el jugo de apio.

DESAYUNO: LICUADO TROPICAL

7 ingredientes. 5 minutos. 1 porción

INGREDIENTES:

- 1/2 taza de espinaca
- 1/2 guineo
- 1 taza de fruta congelada o fresca combinada: mango, piña, fresas
- 1 taza de agua de coco

PREPARACIÓN:

1. Licuar todos los ingredientes y disfrutar.

NOTAS:

- Si no te gusta el guineo puedes agregar 1 manzana (sin el corazón).

ALMUERZO: ENSALADA DE FIDEOS DE CALABACÍN
9 ingredientes. 15 minutos. 1 porción

INGREDIENTES:

- 2 calabacines (zucchini)
- 1 aguacate
- 1 mazo pequeño de cilantro
- 1 limón (en jugo)
- 1 diente de ajo
- 1/4 taza de cebolla
- 1/2 chile jalapeño
- 1 pizca de sal
- 1/4 taza de agua

PREPARACIÓN:

1. Formar los fideos de calabacín con un espiralizador (spiralizer). Si no tienes uno, pela el calabacín en tiras muy finas de tu calabacín con un pelador de papas.
2. Licúa el resto de los ingredientes junto con las piezas de calabacín que te sobraron.
3. Combinar suavemente el aderezo con los fideos de calabacín. ¡Disfrutar!

NOTAS:

- Si no tienes calabacín, puedes usar zanahorias, pepinos, jicama o remolachas para tus fideos.

APERITIVO: PUDÍN DE CHÍA Y CHOCOLATE
7 ingredientes. 10 minutos. 2 porciones

INGREDIENTES:

- 1 taza leche de almendra (sin endulzar)
- 2-3 cucharadas de miel de maple
- 2 cucharadas de polvo de cacao
- 1 cucharada de mantequilla de maní o almendra
- 1/2 cucharadita de esencia vainilla
- 1 pizca de sal
- 1/4 taza de semilla de chía

PREPARACIÓN:

1. En una licuadora agrega todos los ingredientes en el orden de la lista y licúa empezando con baja velocidad y gradualmente aumentarla al máximo hasta alcanzar una textura suave.
2. Probar y agregar mas miel de maple si desea y es posible que tengas que raspar los lados de la licuadora. Continuar mezclando.
3. Verter la mezcla en frasco de vidrio con tapa y poner al refrigerador toda la noche anterior.

NOTAS:

- Opcional: Puedes decorar con nueces(walnuts) para darle un toque crujiente fresas y coco rallado.
- Disfruta!

CENA: SOPA DE ARVEJAS
5 ingredientes. 20 minutos. 4 porciones

INGREDIENTES:

- 1 cebolla
- 3 dientes de ajo
- 1 papa grande o 2 pequeñas
- 1 taza de de arvejas (peas) frescas o congeladas
- 3 tazas de caldo de verduras o agua
- Sal y pimienta al gusto
- Opcional: crema vegetal (vegan sour cream)

NOTAS:

- Puedes decorar con crema vegetal.

PREPARACIÓN:

1. Pelar y picar finamente la cebolla y los ajos. Pelar y cortar la papa.
2. En una olla, calienta 1 cucharada de aceite, luego agregue la cebolla y el ajo y fríe suavemente hasta que esté transparente, revolviendo ocasionalmente. Agregue papas y guisantes en cubitos, vierta sobre el caldo de verduras y sazone con sal, pimienta y hierbas frescas finamente picadas al gusto.
3. Deje que hierva a fuego lento y cocine a fuego lento durante unos 15 minutos, hasta que las papas y las arvejas estén tiernas. Luego, retire del fuego, agregue una cucharada de jugo de limón y licuar hasta obtener una consistencia suave.
4. ¡Servir y disfrutar!

INSPIRACIÓN:

"Te amo, oh Jehová, fortaleza mía.
Jehová, roca mía y castillo mío,
y mi libertador; Dios mío,
fortaleza mía, en él confiaré;
mi escudo, y la fuerza
de mi salvación, mi alto refugio".

Salmos 18:1-2

DÍA 10

FECHA:

RUTINA DE MAÑANA:

○ Tiempo con Jesús: Orar + Leer la Biblia

○ 1 vaso con agua tibia con el jugo de un limón, polvo de cúrcuma y jengibre

○ 10 onzas de jugo de apio.

Tres cosas por qué te sientes agradecido hoy:

1 ____________________

2 ____________________

3 ____________________

Tres cosas importantes para cumplir hoy:

1 ____________________

2 ____________________

3 ____________________

○ Suplementos: vitamina D3 y B12

○ Actividad física: (elige uno)

- Caminar 30 minutos
- Saltar en mini-trampolín 10 minutos

Un acto de amor y bondad:

____

NOCHE 10

RUTINA DE NOCHE:

○ Desconectarme de la tv y el celular 2 horas antes de dormir

○ Consiéntete! (elige una)

- Té de manzanilla
- Botella con agua tibia sobre el estómago
- Masajea las extremidades con una toalla húmeda con agua tibia por 10 minutos

¿Qué lecciones aprendí? ¿Qué puedo mejorar mañana?

Celebrando: Hoy me siento satisfecho porque...

○ Leer

○ Orar

○ Dormir (Si es posible, no más tardar de las 9:30 pm)

¡Feliz noche!

AL DESPERTAR

HIDRATACIÓN:

- 1 vaso de agua tibia
- 1 limón
- 1 cucharadita de cúrcuma en polvo o fresca
- 3 rodajas de jengibre

Mezclarlo todo y tomar en ayunas con una pajilla/popote.

Jugo anti-inflamatorio:

- 10 oz de jugo de apio (1 vaso)

Sacar el extracto de 1-2 mazos de apio con tu extractor de jugos o usando la licuadora y luego lo cuelas. Tomarlo despacio.

NOTAS:

- Personalmente me gusta tomarme el agua durante mi estudio de la Biblia.
- Espero media hora para tomarme el jugo de apio.

DESAYUNO: LICUADO DE MELOCOTÓN MOTIVADOR

7 ingredientes. 10 minutos. 2 porciones

INGREDIENTES:

- 2 melocotones sin semilla congelados o frescos.
- 1/2 taza de leche de almendra
- 1/4 taza avena en hojuelas
- 1 cucharada de chía
- 1/4 taza de jugo de naranja
- 1/2 guineo (congelado sin cascara)
- 1 cucharada de miel de maple
- 1 pizca de canela en polvo

PREPARACIÓN:

1. 1.Agregar todos los ingredientes en la licuadora y dejar remojar la chía y avena por 5 minutos.
2. Licuar todos los ingredientes hasta que quede una consistencia cremosa y suave.

NOTAS:

- Si no te gusta el guineo puedes agregar 1 manzana (sin el corazón).

ALMUERZO: ENSALADA RUSA
5 ingredientes. 20 minutos. 3 porciones

INGREDIENTES:

- 4 papas
- 1 lata de remolacha
- 1/2 taza mayonesa vegetal al gusto
- Sal y pimienta negra al gusto

Opcional: Mayonesa de aguacate.
(para sustituir la mayonesa vegetal)

- 1 aguacate pequeño o mediano, cortado por la mitad, sin semilla ni cascara.
- 1 cucharada de jugo de limón(amarillo)
- 1/8-1/4 sal de mar
- 2 cucharadas de aceite de oliva

NOTAS:

- Puedes agregar cebolla roja picada, si te gusta.
- Si no encuentras mayonesa vegana, puedes preparar la mayonesa de aguacate.

PREPARACIÓN:

1. Pelar y cortar las papas en cubos. Ponerlas a cocer en agua por unos 15 minutos o hasta que estén blandas. Escurrir y dejar enfriar.
2. Escurrir la remolacha enlatada y enjuagar bien. Cortarla en cuadritos.
3. En un bol grande mezclar la mayonesa con todos los ingredientes y sazonar al gusto con sal y pimienta.

Opcional: Para la mayonesa de aguacate. Agregar aguacates, limón, mostaza y sal a un procesador de alimentos o licuadora y mezclar bien. Con el motor encendido, agrega el aceite de oliva y licuar hasta que alcance una consistencia cremosa y una textura liviana.

APERITIVO: DÁTILES CON ALMENDRAS
2 ingredientes. 3 minutos. 1 porción

INGREDIENTES:

- 4 dátiles medjool
- 4 almendras

PREPARACIÓN:

1. Remover las semillas de los dátiles y reemplazarlas colocando las almendras.

NOTAS:

- Puedes embadurnar los dátiles con mantequilla de maní, si deseas.

CENA: SOPA DE MAÍZ

12 ingredientes. 30 minutos. 4 porciones

INGREDIENTES:

- 1 cebolla picada
- 2 dientes de ajo, en rodajas
- 1 pimiento rojo picado
- 1 tallo de apio
- 4 tazas de granos de maíz
- 3 tazas de agua
- 1 taza de leche de soya
- 1 cucharadita de paprika
- 2 cucharadas de levadura nutricional
- 4 cucharadas de tamari o salsa de soya
- Pimienta negra al gusto

PREPARACIÓN:

1. En un olla grande, calienta un poco de agua y hierva. Luego agregue las verduras y el maíz y cocine a fuego medio-alto hasta que estén cocidos.
2. Agregue el resto de los ingredientes, revuelva y cocine otros 5 minutos. Añadir más agua, si es necesario.
3. Mezclar 1/3 de la sopa en una licuadora. Agregue la mezcla a la olla , revuelva y sirva.

NOTAS:

- Añadir un poco de perejil fresco, pimiento rojo y apio encima (opcional).

INSPIRACIÓN:

"Porque para Dios no hay nada imposible".

Lucas 1:37

¡FELICIDADES!

PREGUNTAS FRECUENTES

P: ¿POR QUÉ LICUADOS, ENSALADAS Y SOPAS?

R: Porque como es un plan de tan solo 10 días, es una manera práctica y rápida para empezar a agregar más nutrientes a nuestro día y darle un descanso a nuestro sistema digestivo.

P: ¿POR QUÉ ESCOGISTE ESE TÍTULO?

R: Todo cambio empieza con un deseo y todo deseo se hace realidad cuando nos proponemos tomar acción con un plan y de la mano de Dios.

P: ¿PUEDO HACER ESTE PLAN SI ESTOY EMBARAZADA?

R: Consulta con tu doctor.

P: ¿QUÉ HAGO SINO ENCUENTRO ALGÚN INGREDIENTE?

R: Omítelo o reemplázalo por algo similar. En las notas proveo opciones.

P: ¿DÓNDE CONSIGO LAS VITAMINAS Y LOS SUPLEMENTOS?

R: Amazon, Whole Foods, GNC, Living Well, Mom's, Roots, etc.

P: ¿DÓNDE CONSIGO EL MINI-TRAMPOLINE?

R: Amazon o alguna tienda de cosas deportivas.

¿QUÉ SIGUE?

¡Felicidades por escoger y proponerte en tu corazón nutrir tus células y tu alma! Imagino la energía y el gozo que experimentas. Pero este maravilloso plan es solo el comienzo.

La Biblia dice que después de diez días de prueba, Daniel fue hallado 10 veces mejor y 10 veces más sabio.

Continúa educándote con documentales, libros, videos de recetas en Youtube, lee las etiquetas de los productos que compras y en cada tiempo de comida decide agregarle vida a tu vida.

Trata de cocinar lo más que puedas en casa y cuando salgas a comer, trata de comerte una manzana antes, revisa el menú del restaurante y escoge alimentos sanos, usualmente en los aperitivos hay muchas opciones veganas.

¿CÓMO SENTIRSE BIEN CADA DÍA?

Mueve tu cuerpo, toma algo de sol, haz de tu horas de sueño una prioridad, come alimentos que te nutran, sal de tu zona de confort, haz algo bueno por alguien mas, consiéntete llenando tu propio vaso para poder seguir dando, sonríe y carcajéate, invierte tu tiempo con personas positivas, mantén un espíritu de gratitud, ora y fortalece tu relación con Jesus a través de Su palabra, y no guardes rencores.

Conectemos en mis redes sociales.
Sigamos aprendiendo juntos en esta jornada a través de mi podcast *Nancy Cabrera Podcast.*

NOTAS:

Made in the
USA
Middletown, DE

76321732R00091